I Narratori / Feltrinelli

DANIEL PENNAC
DIARIO DI SCUOLA

Traduzione di Yasmina Melaouah

Feltrinelli

Titolo dell'opera originale
CHAGRIN D'ÉCOLE
© 2007 Éditions Gallimard

Traduzione dal francese di
YASMINA MELAOUAH

© Giangiacomo Feltrinelli Editore Milano
Prima edizione ne "I Narratori" febbraio 2008
Terza edizione marzo 2008

ISBN 978-88-07-01744-5

A Minne, come non mai!

*A Fanchon Delfosse, Pierre Arènes,
José Rivaux, Philippe Bonneu, Ali
Mehidi, Françoise Dousset e Nicole
Harlé, grandi salvatori di studenti.*

*E in memoria di Jean Rolin, che non
smise mai di sperare nel somaro che ero.*

I
LA DISCARICA DI GIBUTI

Statisticamente tutto si spiega,
personalmente tutto si complica.

1.

Cominciamo dall'epilogo: la mamma, quasi centenaria, guarda un film su un autore che conosce bene. Si vede l'autore a casa sua, a Parigi, circondato dai suoi libri, nella sua biblioteca che è anche il suo studio. La finestra dà sul cortile di una scuola. Baccano della ricreazione. Si viene a sapere che per un quarto di secolo l'autore ha esercitato la professione di insegnante e che ha scelto questo appartamento affacciato sui cortili di due scuole un po' come un ferroviere che andasse in pensione sopra una stazione di smistamento. Poi si vede l'autore in Spagna, in Italia, intento a chiacchierare con i suoi traduttori, a scherzare con gli amici veneziani, e sull'altopiano del Vercors a camminare solitario nella foschia delle vette, parlando di lavoro, di lingua, stile, struttura romanzesca, personaggi... Un altro studio, questa volta affacciato sull'incanto delle Alpi. Le scene sono inframmezzate da interviste ad artisti che l'autore ammira, e che parlano anch'essi del loro lavoro: il cineasta e romanziere Dai Sijie, il disegnatore Sempé, il cantante Thomas Fersen, il pittore Jürg Kreienbühl.

Ritorno a Parigi: l'autore davanti al suo computer, tra i suoi dizionari, questa volta. Ne ha la passione, dice. Veniamo peraltro a sapere, ed è la conclusione del film, che ci è entrato, nel dizionario, il Robert, alla lettera P, alla voce Pennac, per esteso Pennacchioni, di nome Daniel.

La mamma, dunque, guarda questo film in compagnia di mio fratello Bernard, che l'ha registrato per lei. Lo guarda

dall'inizio alla fine, immobile nella sua poltrona, con l'occhio fisso, senza spiccicare parola, nella sera che scende.
Fine del film.
Titoli di coda.
Silenzio.
Poi, voltandosi lentamente verso Bernard, chiede:
"Credi che se la caverà, prima o poi?".

2.

Il fatto è che io andavo male a scuola e da questo lei non si è mai più ripresa. Oggi che la sua coscienza di donna molto anziana abbandona i lidi del presente per rifluire piano verso i lontani arcipelaghi della memoria, i primi scogli che affiorano le rammentano l'ansia che la tormentò per tutta la mia carriera scolastica.

Mi rivolge uno sguardo preoccupato e, lentamente:

"Che cosa fai nella vita?".

Il mio avvenire le parve da subito talmente compromesso che non è mai stata davvero sicura del mio presente. Poiché non ero destinato a un avvenire, non le parevo equipaggiato per durare. Ero il suo figlio precario. Eppure sapeva che ce l'avevo fatta da quando nel settembre del 1969 ero entrato nella mia prima classe in qualità di professore. Ma nei decenni che seguirono (cioè per tutta la durata della mia vita adulta), la sua ansia resistette segretamente a tutte le "dimostrazioni di successo" che le portavano le mie telefonate, le mie lettere, le mie visite, la pubblicazione dei miei libri, gli articoli di giornale o le mie apparizioni nei programmi culturali della tivù. Né la stabilità della mia vita professionale né il riconoscimento del mio lavoro letterario, nulla di ciò che sentiva dire su di me da terzi o che poteva leggere sui giornali era in grado di rassicurarla del tutto. Certo, si rallegrava dei miei successi, ne parlava con gli amici, conveniva che mio padre, morto prima di conoscerli, ne sarebbe stato felice, ma nel segreto del suo cuore sopravviveva l'ansia suscitata dal cattivo studente degli

inizi. Così si esprimeva il suo amore di madre; quando la stuz-
zicavo sulle delizie dell'ansia materna, lei rispondeva a tono
con una battuta degna di Woody Allen:

"Che vuoi farci, non tutte le ebree sono madri, ma tutte
le madri sono ebree".

E oggi che la mia vecchia madre ebrea non è più nel presente, c'è di nuovo quell'ansia nei suoi occhi quando si posano sul suo ultimo nato di sessant'anni. Un'ansia che sembra
aver perduto intensità, un'angoscia fossile, ormai solo una vecchia abitudine, ma abbastanza viva perché la mamma mi chieda, posando una mano sulla mia al momento di salutarci:

"Ce l'hai una casa, a Parigi?".

3.

Insomma, andavo male a scuola. Ogni sera della mia infanzia tornavo a casa perseguitato dalla scuola. I miei voti sul diario dicevano la riprovazione dei miei maestri. Quando non ero l'ultimo della classe, ero il penultimo. (Evviva!) Refrattario dapprima all'aritmetica, poi alla matematica, profondamente disortografico, poco incline alla memorizzazione delle date e alla localizzazione dei luoghi geografici, inadatto all'apprendimento delle lingue straniere, ritenuto pigro (lezioni non studiate, compiti non fatti), portavo a casa risultati pessimi che non erano riscattati né dalla musica, né dallo sport né peraltro da alcuna attività parascolastica.

"Capisci? *Capisci* o no quello che ti spiego?"

Non capivo. Questa inattitudine a capire aveva radici così lontane che la famiglia aveva immaginato una leggenda per datarne le origini: il mio apprendimento dell'alfabeto. Ho sempre sentito dire che mi ci era voluto un anno intero per imparare la lettera *a*. La lettera *a*, in un anno. Il deserto della mia ignoranza cominciava al di là dell'invalicabile *b*.

"Niente panico, tra ventisei anni padroneggerà perfettamente l'alfabeto."

Così ironizzava mio padre per esorcizzare i suoi stessi timori. Molti anni dopo, mentre ripetevo l'ultimo anno delle superiori inseguendo un diploma di maturità che si ostinava a sfuggirmi, farà questa battuta:

"Non preoccuparti, anche per la maturità alla fine si acquisiscono degli automatismi...".

O, nel settembre del 1968, quando ho avuto finalmente in tasca la mia laurea in lettere:

"Ti ci è voluta una rivoluzione per la laurea, dobbiamo temere una guerra mondiale per il dottorato?".

Detto senza alcuna particolare malignità. Era la nostra forma di complicità. Mio padre e io abbiamo optato molto presto per il sorriso.

Ma torniamo ai miei inizi. Ultimogenito di quattro fratelli, ero un caso a parte. I miei genitori non avevano avuto occasione di fare pratica con i miei fratelli maggiori, la cui carriera scolastica, seppur non eccezionalmente brillante, si era svolta senza intoppi.

Ero oggetto di stupore, e di stupore costante poiché gli anni passavano senza apportare il benché minimo miglioramento nel mio stato di ebetudine scolastica. "Mi cadono le braccia", "Non posso capacitarmi" sono per me esclamazioni familiari, associate a sguardi adulti in cui colgo un abisso di incredulità scavato dalla mia incapacità di assimilare alcunché.

A quanto pareva, tutti capivano più in fretta di me.

"Ma sei proprio duro di comprendonio!"

Un pomeriggio dell'anno della maturità (uno degli anni della maturità), mentre mio padre mi spiegava trigonometria nella stanza che fungeva da biblioteca, il nostro cane venne quatto quatto a mettersi sul letto dietro di noi. Appena individuato, fu seccamente mandato via:

"Fila di là, cane, sulla tua poltrona!".

Cinque minuti dopo, il cane era di nuovo sul letto. Ma si era preso la briga di andare a recuperare la vecchia coperta che proteggeva la sua poltrona e vi si era steso sopra. Ammirazione generale, ovviamente, e giustificata: tanto di cappello a un animale in grado di associare un divieto all'idea astratta di pulizia e trarne la conclusione che occorresse farsi la cuccia per godere della compagnia dei padroni, con un vero e proprio *ragionamento*! Fu un argomento di conversazione che in famiglia durò per anni. Personalmente, ne trassi l'insegnamento che anche il cane di casa afferrava più in fretta di me. Credo di avergli bisbigliato all'orecchio:

"Domani ci vai tu a scuola, leccaculo!".

4.

Due signori di una certa età passeggiano sulla riva del Loup, il fiume della loro infanzia. Due fratelli. Mio fratello Bernard e io. Mezzo secolo prima, si tuffavano in quella trasparenza. Nuotavano fra i cavedani per nulla spaventati dalla loro cagnara. La familiarità dei pesci faceva pensare che quella felicità sarebbe durata per sempre. Il fiume scorreva tra le pareti di roccia. Quando i due fratelli lo seguivano fino al mare, ora trascinati dalla corrente, ora arrancando sui sassi, capitava che si perdessero di vista. Per ritrovarsi, avevano imparato a fischiare con le dita. Lunghe stridulazioni che si ripercuotevano contro le rocce.

Oggi l'acqua si è abbassata, i pesci sono scomparsi, una schiuma viscida e stagnante proclama la vittoria del detersivo sulla natura. Della nostra infanzia resta solo il canto delle cicale e il calore resinoso del sole. E poi sappiamo ancora fischiare con le dita; non ci siamo mai persi d'orecchio.

Annuncio a Bernard che ho in mente di scrivere un libro sulla scuola: non sulla scuola che cambia nella società che cambia, come è cambiato questo fiume ma, nel cuore di questo incessante rivolgimento, su ciò che per l'appunto non cambia mai, su una costante di cui non sento mai parlare: *la sofferenza condivisa del somaro, dei genitori e degli insegnanti*, l'interazione di questi patemi scolastici.

"Progetto ambizioso... E come lo affronterai?"

"Torchiando te, per esempio. Che ricordi hai delle mie difficoltà, diciamo... in matematica?"

Mio fratello Bernard era l'unico membro della mia famiglia a potermi aiutare nei compiti senza che io mi chiudessi come un riccio. Abbiamo diviso la stessa stanza finché non sono entrato in seconda media, quando mi hanno messo in collegio.

"In matematica? Hai cominciato con l'aritmetica, sai! Un giorno ti ho chiesto cosa fare di una frazione che avevi davanti agli occhi. Mi hai risposto meccanicamente: 'Bisogna trovare il comune denominatore'. C'era una sola frazione, quindi un solo denominatore, ma tu non demordevi: 'Bisogna trovare il comune denominatore!'. Siccome io insistevo: 'Rifletti un po', Daniel, qui c'è *una sola* frazione, quindi *un solo* denominatore', tu ti sei incavolato: 'L'ha detto il maestro: nelle frazioni bisogna trovare il comune denominatore!'."

E i due signori sorridono, continuando la loro passeggiata. Tutto ciò è molto lontano. Uno dei due è stato insegnante per venticinque anni: duemilacinquecento allievi, su per giù, di cui un certo numero "gravemente carenti", secondo l'espressione in uso. Ed entrambi sono padri. "Il prof ha detto che..." è una frase che conoscono. Sì, la speranza riposta dal somaro in quella litania... Le parole del professore sono solo tronchi galleggianti cui lo studente che va male si aggrappa in un fiume dove la corrente lo trascina verso le cascate. Ripete quello che ha detto il prof. Non perché questo abbia senso, non perché la regola si incarni, no, solo per trarsi momentaneamente d'impaccio, solo perché "mi lascino in pace". O mi vogliano bene. A qualunque prezzo.

"..."

"Un altro libro sulla scuola, insomma? Non credi che ce ne siano abbastanza?"

"Non sulla scuola! Tutti si occupano della scuola, eterna disputa degli antichi e dei moderni: i suoi programmi, il suo ruolo sociale, le sue finalità, la scuola di ieri, quella di domani... No, un libro sul somaro! *Sulla sofferenza di non capire*, e i suoi danni collaterali."

...

"È stato così terribile?"

"..."

"..."

"Puoi dirmi qualcos'altro sul somaro che ero?"

"Ti lamentavi di non avere memoria. Le lezioni che ti facevo studiare la sera svanivano durante la notte. L'indomani mattina avevi dimenticato tutto."

Il fatto è che non registravo, come dicono i ragazzi di oggi. Non ero connesso e non registravo. Le parole più semplici perdevano consistenza appena mi veniva chiesto di considerarle un oggetto di conoscenza. Se dovevo imparare una lezione sul Massiccio del Giura, per esempio (più che un esempio, in questo caso è un ricordo molto preciso) questa parolina di due sillabe si scomponeva fino a perdere qualunque rapporto con la Franca-Contea, il dipartimento dell'Ain, l'orologeria, i vitigni, l'altitudine, le mucche, i rigori dell'inverno, la Svizzera frontaliera, il massiccio alpino o la semplice montagna. Non rappresentava più nulla. Giura, mi dicevo, Giura? Giura... E ripetevo quella parola, instancabilmente, come un bambino che continua a masticare, a masticare senza inghiottire, a ripetere senza assimilare, fino alla totale decomposizione del sapore e del senso, masticare, ripetere, Giura, Giura, giura, giura, giu, giu, giù, ra, ra, ragiù, ra, giuragiuragiu, finché la parola non diventava una massa sonora indefinita, senza più la minima reliquia di significato, un suono impastato da ubriacone in un cervello spugnoso... Ecco come ci si addormenta su una lezione di geografia.

"Sostenevi di detestare le maiuscole."

Ah! Terribili sentinelle, le maiuscole! Mi sembrava che si ergessero tra i nomi propri e me per impedirmene la frequentazione. Qualsiasi parola su cui era impressa una maiuscola era destinata all'oblio istantaneo: città, fiumi, battaglie, eroi, trattati, poeti, galassie, teoremi espulsi dalla memoria causa maiuscola paralizzante. Altolà, esclamava la maiuscola, vietato varcare la porta di questo nome, è troppo *corretto*, non sei degno, sei un cretino!

Puntualizzazione di Bernard durante la nostra passeggiata: "Un cretino minuscolo!".

Risate dei due fratelli.

"E in seguito, la stessa cosa con le lingue straniere: non

potevo togliermi dalla testa l'idea che vi si dicessero cose troppo intelligenti per me."

"Il che ti dispensava dal dover imparare le tue liste di parole."

"Le parole di inglese erano altrettanto volatili dei nomi
propri..."

"..."

"..."

"Insomma, ti raccontavi un sacco di storie."

Sì, è la prerogativa dei somari, raccontarsi ininterrotta-
mente la storia della loro somaraggine: faccio schifo, non ce
la farò mai, non vale neanche la pena provarci, tanto lo so che
vado male, ve l'avevo detto, la scuola non fa per me... La scuola appare loro un club molto esclusivo di cui si vietano da soli l'accesso. Con l'aiuto di alcuni professori, a volte.

"..."

"..."

Due signori di una certa età passeggiano lungo un fiume.
Alla fine della passeggiata si ritrovano davanti a uno specchio
d'acqua circondato da canneti e da ciottoli.

Bernard domanda:

"Sei ancora bravo, a rimbalzello?".

5.

Ovviamente si pone il problema della causa originaria. Da dove veniva la mia somaraggine. Figlio della borghesia di stato, cresciuto in una famiglia affettuosa, senza conflitti, circondato da adulti responsabili che mi aiutavano a fare i compiti... Padre laureato al politecnico, madre casalinga, nessun divorzio, nessun alcolizzato, nessun caratteriale, nessuna tara ereditaria, tre fratelli con il diploma di maturità (scientifica, ben presto due ingegneri e un ufficiale), ritmi regolari, alimentazione sana, biblioteca di famiglia, orizzonte culturale conforme all'ambiente e all'epoca (padre e madre nati prima del 1914): pittura fino agli impressionisti, poesia fino a Mallarmé, musica fino a Debussy, romanzi russi, l'inevitabile periodo Teilhard de Chardin, Joyce e Cioran come sommo dell'arditezza... Conversazioni a tavola tranquille, allegre e colte.

Eppure, un somaro.

Nemmeno la cronistoria familiare è in grado di offrire spiegazioni. È una evoluzione sociale in tre generazioni grazie all'avvento della scuola dell'obbligo, un'ascesa democratica, insomma, una vittoria alla Jules Ferry... Un altro Jules. Lo zio di mio padre, lo Zio, Jules Pennacchioni, portò alla licenza elementare i bambini di Guargualé e di Pila-Canale, i villaggi corsi della famiglia; a lui si devono generazioni di maestri, di postini, di *gendarmes* e di svariati funzionari pubblici della Francia coloniale o metropolitana... (forse anche alcuni banditi, ma di cui avrà fatto dei lettori). Pare che lo Zio facesse fare dettati e operazioni di aritmetica a chiunque e in qualunque circostanza; si dice anche che arrivasse a rapire i bambini che i genitori costringevano a marinare la scuola durante la raccolta delle castagne. Li andava a prendere nei boschi, li portava a casa propria e avvertiva il padre schiavista:

"Ti restituirò il tuo ragazzino quando avrà preso la licenza elementare!".

Se è una leggenda, mi piace. Non credo si possa immaginare diversamente il mestiere di insegnante. Tutto il male che si dice della scuola fa dimenticare il numero di bambini che ha salvato dalle tare, dai pregiudizi, dall'ottusità, dall'ignoranza, dalla stupidità, dalla cupidigia, dall'immobilità o dal fatalismo delle famiglie.

Così era lo Zio.

Eppure, tre generazioni dopo, io, il somaro!

La vergogna dello Zio, se avesse saputo... Fortunatamente morì prima di vedermi nascere.

Non soltanto i miei antecedenti rendevano impensabile qualunque somaraggine, ma in qualità di ultimo rappresentante di una stirpe sempre più laureata, ero socialmente programmato per diventare il fiore all'occhiello della famiglia: laurea in un'università prestigiosa, preferibilmente di quelle che formano i grandi tecnocrati, poi la Corte dei Conti, un ministero, vai a sapere... Non si poteva sperare di meno. Dopodiché, un matrimonio produttivo e la messa al mondo di figli destinati sin dalla culla ai migliori licei, quindi scagliati verso l'Eliseo o la direzione di una multinazionale cosmetica. La routine del darwinismo sociale, la riproduzione delle classi dirigenti...

E invece no, un somaro.

Un somaro senza fondamento storico, senza ragione sociologica, senza mancanza di affetto: un somaro a sé stante. Un somaro archetipo. Un'unità di misura.

Perché?

La risposta è forse chiusa nello studio degli psicologi, ma quella non era ancora l'epoca dello psicologo scolastico visto come sostituto della famiglia. Ci si arrangiava come si poteva.

Bernard, dal canto suo, proponeva una spiegazione:

"A sei anni sei caduto nella discarica comunale di Gibuti".

"A sei anni? L'anno della *a*?"

"Sì. Era una discarica a cielo aperto. Ci sei caduto dall'alto di un muro. Non ricordo quanto tempo sei stato lì a macerare. Eri scomparso, noi ti cercavamo dappertutto e tu ti agitavi là dentro sotto il sole, a una temperatura che doveva sfiorare i sessanta gradi. Preferisco non immaginare come fosse lì dentro."

L'immagine della discarica, tutto sommato, si adatta bene alla sensazione di rifiuto provata dallo scolaro abbandonato dalla scuola. "Scuola spazzatura" è del resto un'espressione che ho sentito usare più volte per definire quegli istituti privati non riconosciuti che accettano (a che prezzo?) di raccogliere gli scarti delle scuole superiori. Ci ho vissuto dalla seconda media al penultimo anno delle superiori, in convitto. E fra tutti i professori che ho subìto lì, quattro mi hanno salvato.

"Quando ti hanno tirato fuori da quel cumulo di immondizia, ti eri già beccato la setticemia; ti hanno fatto iniezioni di penicillina per mesi. Ti facevano un male cane, morivi dalla fifa. Quando arrivava l'infermiere passavamo ore a cercarti in giro per la casa. Un giorno ti sei nascosto in un armadio che poi ti è caduto addosso."

Paura dell'iniezione, ecco una metafora eloquente: tutti i miei anni di scuola passati a fuggire professori visti come dei dottoroni armati di siringhe giganteshe e incaricati di inocularmi quel bruciore denso, la penicillina degli anni cinquanta – di cui mi ricordo *benissimo* –, una specie di piombo fuso che iniettavano nel corpo di un bambino.

In ogni caso, sì, la paura fu proprio la costante di tutta la mia carriera scolastica: il suo chiavistello. E quando divenni insegnante la mia priorità fu alleviare la paura dei miei allievi peggiori per far saltare quel chiavistello, affinché il sapere avesse una possibilità di passare.

6.

Faccio un sogno. Non un sogno d'infanzia, un sogno di oggi, mentre scrivo questo libro. Subito dopo il capitolo precedente, per essere precisi. Sono seduto, in pigiama, sul bordo del letto. Grossi numeri di plastica, come quelli con cui giocano i bambini, sono sparpagliati sul tappeto, davanti a me. Devo "mettere in ordine i numeri". È questa la consegna. L'operazione mi sembra facile, sono contento. Mi chino e tendo le braccia verso i numeri. E mi accorgo che le mie mani sono sparite. Non ci sono più mani in fondo al mio pigiama. Le maniche sono vuote. A gettarmi nel panico non è la scomparsa delle mani, è il fatto di non potere raggiungere quei numeri per metterli in ordine. Cosa che sarei stato in grado di fare.

7.

Eppure, esteriormente, pur non essendo agitato, ero un bambino vivace che amava giocare. Bravissimo alle biglie e agli aliossi, imbattibile a palla prigioniera, campione del mondo nelle battaglie di cuscini, amavo giocare. Piuttosto chiacchierone e ridanciano, diciamo pure burlone, mi facevo degli amici a tutti i livelli della classe, fra i somari, certo, ma anche fra le teste di serie – non avevo pregiudizi. Più di qualunque cosa, alcuni insegnanti mi rimproveravano questa allegria. Oltre che negato, insolente. Il minimo della buona educazione, per un somaro, è essere discreto: nato morto sarebbe l'ideale. Ma la vitalità era vitale per me, se così si può dire. Il gioco mi salvava dall'amarezza che provavo non appena ripiombavo nella mia vergogna solitaria. Mio Dio, la solitudine del somaro nella vergogna di non *fare mai quello che è giusto*! E il desiderio di fuggire... Ho provato presto il desiderio di fuggire. Dove? Non è chiaro. Diciamo fuggire da me stesso, e tuttavia dentro di me. Ma in un io che fosse accettato dagli altri. Devo probabilmente a questa voglia di fuggire gli strani ideogrammi che precedettero la mia grafia. Invece di formare le lettere dell'alfabeto, disegnavo omini che scappavano sui margini e lì creavano delle bande. Eppure all'inizio mi applicavo, rifinivo le lettere meglio che potevo, ma pian piano le lettere si trasformavano in quegli esse-

rini allegri e saltellanti che se ne andavano a folleggiare altrove, ideogrammi della mia sete di vivere:

Ancora oggi uso questi omini quando firmo le co-
pie dei miei libri. Rappresentano una risorsa pre-
ziosa per dare un taglio alle ele-
ganti banalità che ci si sente in
dovere di scrivere sulla pagina
di guardia di quelle inviate alla
stampa. È la banda della mia infanzia, cui
sono fedele.

8.

Da adolescente, ho sognato una banda più reale. Non era l'epoca, non era usuale nel mio ambiente, il contesto in cui vivevo non me lo consentiva, ma ancora oggi lo dico fermamente, se avessi avuto la possibilità di formare una banda, l'avrei fatto. E con che gioia! I miei compagni di giochi non mi bastavano. Per loro esistevo solo durante la ricreazione; in classe sentivo di essere compromettente. Ah! Unirmi a una banda per la quale la scuola non avesse contato nulla, che sogno! Dove sta il fascino della banda? Nel potervisi dissolvere con la sensazione di affermarsi. Gran bella illusione d'identità! Solo per poter dimenticare la sensazione di estraneità assoluta all'universo scolastico, e fuggire quegli sguardi di adulto disprezzo! Così convergenti, quegli sguardi! Opporre un sentimento di comunità a quella perenne solitudine, un altrove al qui, un territorio libero a questa prigione. Abbandonare a ogni costo l'isola del somaro, fosse anche su una nave di pirati dove regnasse soltanto la legge del cazzotto con il rischio, nella migliore delle ipotesi, di finire in galera. Li sentivo talmente più forti gli altri, i professori, gli adulti, e di una forza talmente più soverchiante del cazzotto, così accettata, così legittima, che a volte provavo un bisogno di vendetta prossimo all'ossessione. (Quattro decenni dopo, non fui sorpreso quando la parola *disobbedienti* apparve sulla bocca di molti ragazzi. Moltiplicata da una quantità di fattori nuovi, sociologici, culturali, economici, esprimeva ancora quel bisogno di ribellione che mi era stato così familiare.) Fortunatamente, i miei compagni di giochi non erano di quelli che formano le bande, e io non provenivo da una *banlieue*. Fui quindi io stesso, da solo, una banda di ragazzi, come dice la canzone di Renaud, una banda alquanto modesta in cui compivo in solitaria subdole rappresaglie. Quelle lingue di bue, per esempio (un centinaio), prelevate nottetempo dal refettorio e che avevo inchiodato alla porta di un economo che le serviva due volte alla settimana e che ritrovavamo l'indomani nel piatto se non le avevamo mangiate. O l'aringa affumicata fissata al tubo di scappamento della nuovissima auto di un professore di inglese (era una Simca Ariane, me lo ricordo, con i fianchi degli pneumatici bianchi come le scarpe di un pappone...), che prese inspiegabilmente a puzzare di pesce alla griglia, tanto che i primi giorni il proprietario stesso entrava in classe avvolto da un tanfo incredibile. O quella trentina di galline fregate nelle fattorie dei dintorni del mio collegio di montagna per riempire la camera del coordinatore della sorveglianza durante tutto il fine settimana in cui mi aveva punito con la consegna. Che magnifico pollaio divenne quella stanza in soli tre giorni: cacche e piume incollate, la paglia per dare un tocco realistico, uova rotte un po' dovunque, e il granturco generosamente distribuito qua e là! Per non parlare dell'odore! Ah, che festa quando il capo dei sorveglianti, aprendo ignaro la porta della camera, liberò nei corridoi le prigioniere in preda al panico che ci mettemmo tutti a inseguire in ogni direzione!

Era una cosa stupida, certo, stupida, cattiva, riprovevole, imperdonabile... E inefficace, oltre tutto: il genere di sevizie che non migliorano il carattere del corpo insegnante... E tuttavia morirò senza riuscire a pentirmi delle galline, dell'aringa e dei poveri buoi dalla lingua mozzata. Insieme agli omini pazzerelli, facevano parte della mia banda.

9.

Una costante pedagogica: tranne rare eccezioni, il vendicatore solitario (o il lazzarone ipocrita, è una questione di punti di vista) non si autodenuncia mai. Né denuncia l'altro, quando costui è l'autore del misfatto. Solidarietà? Non è detto. Una sorta di godimento, piuttosto, nel vedere l'autorità sfinirsi in indagini sterili. Il fatto che tutti gli allievi siano puniti – privati di questo o di quello – finché il colpevole non si dichiari non lo scuote minimamente. Al contrario, gli fornisce l'occasione di sentirsi finalmente parte integrante della comunità! Si associa a tutti nel ritenere che "non è giusto" "farla pagare" a tanti "innocenti" al posto di un unico "colpevole". Strabiliante sincerità! Il fatto che il colpevole in questione sia lui gli appare irrilevante. Punendo tutti, l'autorità gli ha permesso di cambiare registro: non siamo più nell'ordine dei fatti, che riguarda l'indagine, ma sul terreno dei principi; e, da buon adolescente qual è, reputa l'equità un principio sul quale non si transige.

"Siccome non trovano chi è, allora ce la fanno pagare a tutti, non è giusto!"

Sentirsi dare del vigliacco, del ladro, del bugiardo o di qualsiasi altra cosa, che un prefetto degli studi dichiari pubblicamente, con voce tonante, tutto il disprezzo che prova per gli individui spregevoli della sua risma, i quali "non hanno il coraggio delle loro azioni", non lo scuote minimamente. Innanzitutto perché in ciò sente solo la conferma di quello che gli hanno ripetuto mille volte ed è quindi d'accordo con il prefetto (è anzi un piacere raro, questo accordo segreto: "Sì, hai ragione, sono proprio il cattivo che dici, anche peggio, se tu sapessi..."), poi perché il coraggio di andare ad appendere le tre sottane del prefetto di disciplina in cima al parafulmine, per esempio, non è stato il prefetto degli studi ad averlo né nessun altro allievo qui presente, è stato lui, e soltanto lui, in piena notte, lui nella sua notturna e ormai gloriosa solitudine. Per alcune ore le sottane hanno sventolato sul collegio come un nero vessillo da pirati e nessuno saprà mai chi ha issato quella grottesca bandiera.

E se accusano qualcun altro al suo posto, si può star certi che lui continua a tacere, poiché conosce i suoi polli e sa bene (con Claudel, che pure non leggerà mai) che "si può anche meritare l'ingiustizia".

Non si autodenuncia. Poiché si è fatto una ragione della propria solitudine e ha finalmente smesso di avere paura. Non abbassa più gli occhi. Guardatelo, è il colpevole dallo sguardo candido. Nel suo silenzio cela un piacere unico: *nessuno saprà mai*! Quando uno sente di non appartenere a nulla, tende a fare giuramenti a se stesso.

Ma ciò che prova più di ogni altra cosa è la gioia cupa di essere diventato incomprensibile ai privilegiati del sapere che gli rimproverano di non capire mai niente. Si è scoperto una vocazione, insomma: fare paura a coloro che lo spaventano; ne gode intensamente. Nessuno sa ciò di cui è *capace* e questa è una gran cosa.

La nascita della delinquenza è l'investimento segreto nella furbizia di tutte le facoltà dell'intelligenza.

10.

Ma ci si farebbe un'idea errata dello studente che ero se ci si limitasse a considerare solo queste rappresaglie clandestine (lo scherzetto delle tre sottane, peraltro, non è opera mia). L'allegro somaro che ordisce nottetempo inesorabili vendette, l'invisibile Zorro dei castighi infantili sono immagini oleografiche che corrispondono solo in parte a ciò che ero, dal momento che io ero anche, e soprattutto, un ragazzino disposto a qualunque compromesso per lo sguardo benevolo di un adulto. Elemosinare di soppiatto l'approvazione degli insegnanti e piegarsi a ogni conformismo: sì signor professore, sì, ha ragione... è vero, signor professore, che non sono così stupido, così cattivo, così deludente, così... Oh! Che umiliazione quando l'altro con una frase secca mi rimandava alla mia indegnità. Oh! Che abietto sentimento di gioia quando invece buttava lì due parole vagamente gentili che io subito custodivo come un tesoro di umanità... E come mi precipitavo, la sera stessa, per parlarne ai miei genitori: "Ho avuto una bella conversazione con il professore Taldeitali..." (come se il problema fosse avere belle conversazioni, doveva pensare mio padre, a giusto titolo...).

Per molto tempo mi sono portato dietro i segni di quella vergogna.

Sin dai miei primi insuccessi ero stato pervaso dall'odio e insieme dal bisogno di affetto. Dovevo ammansire l'orco scolastico. Fare di tutto perché non mi divorasse il cuore. Collaborare, per esempio, al regalo di compleanno per quel professore di prima media che pure valutava assai negativamente i miei dettati: "Meno 38 in ortografia, Pennacchioni, la temperatura è sempre più bassa!". Lambiccarmi il cervello per scegliere ciò che avrebbe fatto davvero piacere a quella carogna, organizzare la colletta tra i compagni e integrarla personalmente, dal momento che il prezzo dell'orrenda meraviglia superava l'ammontare della somma raccolta.

Nelle case borghesi dell'epoca c'erano delle casseforti. Presi l'iniziativa di scassinare quella dei miei genitori per partecipare al regalo del mio aguzzino. Era una di quella piccole casseforti scure e tozze, dove dormono i segreti di famiglia. Una chiave, una rotella con una combinazione di lettere, una con una combinazione di cifre. Sapevo dove i miei genitori tenevano la chiave, ma mi ci vollero parecchie notti per trovare la combinazione. Rotella, chiave, porta chiusa. Rotella, chiave, porta chiusa. Porta chiusa. Porta chiusa. Pensi che non ce la farai mai. Ed ecco che, improvvisamente, clic, la porta si apre! Rimani senza parole. Una porta aperta sul mondo segreto degli adulti. Segreti molto tranquilli, nella fattispecie: qualche obbligazione, presumo, prestiti russi che dormivano lì in attesa della resurrezione, la pistola d'ordinanza di un prozio, con il caricatore pieno ma alla quale era stato limato il percussore, e anche del denaro, non molto, alcune banconote da cui prelevai la quota necessaria a finanziare il regalo.

Rubare per comprare l'affetto degli adulti... Non era esattamente un furto e non comprò ovviamente alcun affetto. Il misfatto fu scoperto quando, lo stesso anno, regalai a mia madre uno di quegli orribili giardini giapponesi allora di moda e che costavano un occhio della testa.

L'episodio ebbe tre conseguenze: mia madre pianse (cosa rara), convinta di aver messo al mondo uno scassinatore (l'unico ambito in cui il suo ultimo nato manifestava un'indiscutibile precocità), fui messo in collegio, e per tutta la vita non fui più capace di rubare qualcosa, persino quando il furto divenne culturalmente alla moda tra i giovani della mia generazione.

11.

A tutti coloro che oggi imputano la formazione di bande al solo fenomeno delle *banlieues*, io dico: certo, avete ragione, la disoccupazione, certo, l'emarginazione, certo, i raggruppamenti etnici, certo, la dittatura delle marche, certo, la famiglia monoparentale, certo, lo sviluppo di un'economia parallela e di traffici di ogni genere, certo, certo... Ma guardiamoci bene dal sottovalutare l'unica cosa sulla quale possiamo agire personalmente e che risale alla notte dei tempi pedagogici: la solitudine e il senso di vergogna del ragazzo che non capisce, perso in un mondo in cui gli altri capiscono.

Solo noi possiamo tirarlo fuori da quella prigione, formati o meno per farlo.

Gli insegnanti che mi hanno salvato – e che hanno fatto di me un insegnante – non erano formati per questo. Non si sono preoccupati delle origini della mia infermità scolastica. Non hanno perso tempo a cercarne le cause e tanto meno a farmi la predica. Erano adulti di fronte ad adolescenti in pericolo. Hanno capito che occorreva agire tempestivamente. Si sono buttati. Non ce l'hanno fatta. Si sono buttati di nuovo, giorno dopo giorno, ancora e ancora... Alla fine mi hanno tirato fuori. E molti altri con me. Ci hanno letteralmente ripescati. Dobbiamo loro la vita.

Rovisto nel mucchio delle vecchie carte alla ricerca delle mie pagelle e dei miei diplomi, e mi imbatto in una lettera che mia madre ha conservato. È datata febbraio 1959.
Avevo compiuto quattordici anni tre mesi prima. Ero in terza media. Le scrivevo dal mio primo collegio:

Cara Mamma,
ho visto anch'io i miei voti, sono demoralizato [sic]*, non ce la faccio più, quando ti tocca studiare 2h di fila dopo le lezioni per prendere 0 in un compito di algebra che credevi andato bene cè* [sic] *da scoraggiarsi, allora ho lasciato perdere tutto per ricominciare* [sic] *a prepararmi per le interrogazzioni* [sic] *e il mio voto basso in condotta spiega sicuramente il ripasso delle lezioni di geologia durante la lezzione* [sic] *di matematica,*
[ecc.]
Non sono abastanza [sic] *intelligente e studioso per continuare la scuola. Non mi interessa, mi viene malditesta* [sic] *a stare rinchiuso tra i libri, non capisco niente di inglese, di algebra, facio* [sic] *schifo in ortografia, che cosa rimane?*

Marie-Thé, parrucchiera del nostro villaggio, – La Colle-sur-Loup –, la mia più grande amica da quando ero piccolissimo, mi confessava di recente che mia madre, sfogandosi sotto il casco, le aveva espresso la sua preoccupazione per il mio avvenire, vagamente rincuorata, diceva lei, dalla promessa strappata ai miei fratelli di prendersi cura di me dopo la sua scomparsa e quella di mio padre.

Sempre nella stessa lettera, scrivevo: *"Avete avuto tre figli intelligenti e studiosi... un altro somaro, e fanullone* [sic]*"*... Seguiva uno studio comparato dei miei risultati e di quelli dei miei fratelli e una vibrante supplica affinché interrompessero il massacro, mi ritirassero da scuola e mi mandassero *"nelle colonie"* (famiglia di militari), *"in un posto disperduto* [sic] *che sarebbe l'unico luogo in cui sarei felice"* (sottolineato due volte). L'esilio in capo al mondo, insomma, il ripiego del sogno, un progetto di fuga alla Bardamu* nel figlio di un soldato.

Dieci anni dopo, il 30 settembre 1969, ricevevo una lettera di mio padre, indirizzata alla scuola media dove esercitavo da un mese il mestiere di professore. Era il mio primo incarico ed era la sua prima lettera al figlio ormai *diventato*. Era appena uscito dall'ospedale, mi raccontava le dolcezze della convalescenza, le sue lente passeggiate con il nostro cane, mi dava notizie della famiglia, mi annunciava il possibile matrimonio di mia cugina a Stoccolma, alludeva discretamente a un progetto di romanzo di cui avevamo parlato insieme (e che non ho ancora scritto), manifestava una viva curiosità per le chiacchiere che scambiavo con i colleghi, aspettava l'arrivo per posta de *La loge du gouverneur* di Angelo Rinaldi imprecando contro lo sciopero degli impiegati delle poste, elogiava *Il giovane Holden* di Salinger e *Le jardin des délices* di José Cabanis, scusava mia madre di non scrivermi ("più stanca di me per avermi curato"), mi comunicava di aver prestato la ruota di scorta della nostra Due Cavalli alla mia amica Fanchon ("Bernard è stato ben lieto di cambiargliela") e mi salutava assicurandomi le sue buone condizioni di salute.

Come non mi aveva prospettato un avvenire disastroso durante i miei anni di scuola, così ora non faceva la benché minima allusione al mio passato di somaro. Su quasi tutti gli argomenti il suo tono era come sempre pudicamente ironico, e non sembrava ritenere che la mia nuova condizione di in-

---

* Protagonista del romanzo *Viaggio al termine della notte* di Louis Ferdinand Céline. [N.d.T.]

segnante dovesse destare stupore o esigesse che ci si compli-
mentasse o che ci si preoccupasse per i miei allievi.

Insomma, mio padre così com'è, ironico e saggio, desideroso di chiacchierare con me, a rispettosa distanza, della vita
che continuava.

Ho sotto gli occhi la busta della lettera.

Solo oggi noto un particolare.

Non si era limitato a scrivere il mio nome, il nome della
scuola, quello della via e della città...

Aveva aggiunto la dicitura: *Professore.*

Professor Daniel Pennacchioni
Scuola Media...

Professore...
Con la sua grafia così precisa.

Mi ci è voluta una vita intera per sentire quell'urlo di gioia
– e quel sospiro di sollievo.

II
DIVENTARE

*Ho dodici anni e mezzo
e non ho concluso niente.*

1.

Mentre scrivo queste righe entriamo nella stagione delle chiamate d'aiuto. A partire dal mese di marzo il telefono di casa squilla più sovente del solito: amici sconsolati che cercano un nuovo istituto per un figlio con difficoltà scolastiche, cugini disperati alla ricerca di un ennesimo liceo dopo un'ennesima bocciatura, vicini che contestano l'utilità di ripetere l'anno, sconosciuti, che tuttavia mi conoscono, poiché hanno avuto il mio numero da Tizio...

Sono telefonate serali, generalmente, verso la fine della cena, l'ora dello sconforto. Chiamate di madri, il più delle volte. Di fatto raramente il padre, il padre viene dopo, se viene, ma all'inizio, alla prima telefonata, è sempre la madre, e quasi sempre per il figlio maschio. La figlia sembra più brava.

È la madre. È sola in casa, appena finito di cenare, piatti ancora da lavare, la pagella del ragazzo aperta davanti, il ragazzo chiuso a chiave in camera sua davanti a un videogioco, oppure già fuori, a zonzo con la sua banda, nonostante un timido divieto. È sola, la mano sul telefono, titubante. Spiegare per l'ennesima volta il caso del figlio, fare una volta di più la cronistoria dei suoi fallimenti, che fatica, mio Dio... E la prospettiva del calvario che l'aspetta: fare anche quest'anno il porta a porta delle scuole che lo vorranno ammettere... chiedere una giornata di permesso in ufficio, in negozio... visite ai capi di istituto... sbarramento delle segreterie... moduli da compilare... attesa della risposta... colloqui... con il figlio, senza il figlio... test... attesa dei risultati... documentazione... incertezze, questa scuola è migliore dell'altra? (Poiché, in fatto di scuola, la questione dell'eccellenza si pone al vertice della scala come in fondo al baratro, la scuola migliore per gli allievi migliori e la migliore per i naufraghi, non si scappa...) E alla fine chiama. Si scusa di disturbarti, si rende conto di quante persone probabilmente si rivolgono a te, ma il fatto è che ha un figlio che, davvero, di cui non sa più come...

Professori, fratelli miei, vi supplico, pensate ai vostri colleghi quando nel silenzio dell'aula docenti scrivete sulle vostre pagelle che "il terzo trimestre sarà decisivo". Squillo improvviso del mio telefono:

"Il terzo trimestre, capirai! Quelli hanno già deciso dall'inizio".

"Il terzo trimestre, il terzo trimestre non gli fa né caldo né freddo a quel ragazzino, la minaccia del terzo trimestre, non ha mai avuto *un solo* trimestre decente!"

"Il terzo trimestre... Figuriamoci se riesce a rimediare tutte queste insufficienze in così poco tempo! Lo sanno benissimo che è un groviera, il loro terzo trimestre, con tutte quelle vacanze!"

"Se non lo promuovono, questa volta faccio ricorso!"

"Comunque sia, al giorno d'oggi bisogna muoversi prestissimo per trovare una scuola..."

E va avanti così fino alla fine di giugno, quando è appurato che il terzo trimestre è stato davvero determinante, che il figliolo non sarà ammesso alla classe seguente e che effettivamente è troppo tardi per cercare un'altra scuola, perché tutti si sono mossi prima, ma cosa vuole, fino all'ultimo abbiamo sperato, ci siamo detti che forse questa volta il ragazzo avrebbe capito, aveva un po' recuperato nel terzo trimestre, ma sì, ma sì, glielo assicuro, si impegnava, molte meno assenze...

2.

C'è la madre a pezzi, logorata dalla deriva del figlio, che accenna ai presunti effetti dei drammi coniugali: è la nostra separazione che l'ha... da quando è morto suo padre lui non è più... C'è la madre umiliata dai consigli delle amiche i cui figli invece vanno bene o che, peggio ancora, evitano l'argomento con una discrezione quasi insultante... C'è la madre furibonda, convinta che il figlio sia da sempre la vittima innocente di una coalizione di insegnanti di tutte le materie, è cominciata molto presto, già alla scuola materna, c'era una maestra che... e alle elementari non è andata meglio, il maestro, questa volta un uomo, era ancora peggio, e figurati che in terza media il suo professore di lettere gli ha... C'è quella che non ne fa una questione di persone, ma inveisce contro la società che si sgretola, l'istituzione che va a rotoli, il sistema che è marcio, la realtà, insomma, che non si adatta ai suoi sogni... C'è la madre furiosa con il proprio figlio: questo ragazzino che ha tutto e non fa niente, questo ragazzino che non fa niente e vuole tutto, questo ragazzino per cui abbiamo fatto di tutto e che non c'è verso che... mai una volta... non se ne può più! C'è la madre che non ha mai visto un solo professore in tutto l'anno e quella che li ha assillati tutti... C'è la madre che ti telefona semplicemente perché tu la liberi anche quest'anno di un figlio di cui non vuole più sentire parlare fino all'anno prossimo, stessa data, stessa ora, stessa telefonata, e che lo dice: "L'anno prossimo si vedrà, intanto troviamogli una scuola per quest'anno". C'è la madre che teme la reazione del padre: "Questa volta a mio marito non andrà giù" (ha nascosto la maggior parte delle pagelle al marito in questione)... C'è la madre che non capisce questo figlio così diverso dall'altro, che si sforza di non amarlo meno, che fa di tutto per rimanere la stessa madre per entrambi i figli. C'è invece la madre che non può fare a meno di scegliere questo ("Eppure *investo tutte le mie energie* su di lui"), a scapito di fratelli e sorelle, ovviamente, e che ha fatto ricorso invano a tutti i supporti possibili: sport, psicologia, ortofonia, sofrologia, cure di vitamine, rilassamento, omeopatia, terapia famigliare o individuale... C'è la madre ferrata in psicologia che dà una spiegazione a tutto e si stupisce che non si trovi mai una soluzione a nulla, l'unica al mondo a capire il figlio, la figlia, gli amici del figlio e della figlia, e che nella sua eterna giovinezza di spirito ("Vero che bisogna saper restare giovani?") si stupisce che il mondo sia diventato così vecchio, così incapace di comprendere i giovani. C'è la madre che piange, ti chiama e piange in silenzio, e si scusa di piangere... un insieme di pena, di preoccupazione e di vergogna... A dire il vero tutte provano un po' di vergogna, e tutte sono preoccupate per il futuro del figlio. "Ma che cosa *diventerà*?" La maggior parte di loro si fa dell'avvenire una rappresentazione che è una proiezione del presente sullo schermo angosciante del futuro. Il futuro come una parete dove sono proiettate le immagini smisuratamente ingrandite di un presente senza speranza, ecco la grande paura delle madri!

3.

Non sanno di rivolgersi al più giovane scassinatore di casseforti della sua generazione e che, se la loro rappresentazione dell'avvenire fosse fondata, io non sarei al telefono intento ad ascoltarle ma in prigione, a contarmi le pulci, conformemente al film che la mia povera mamma dovette proiettare sullo schermo del futuro quando scoprì che suo figlio di undici anni saccheggiava i risparmi di famiglia.

Allora provo con una barzelletta:

"Lo sa qual è l'unico modo per far ridere il buon Dio?".

Esitazione all'altro capo del filo.

"Raccontargli i propri progetti."

In altre parole, niente panico, non c'è nulla che vada come previsto, è l'unica cosa che ci insegna il futuro quando diventa passato.

Non basta, certo, è un cerotto su una ferita che non cicatrizzerà tanto facilmente, ma è tutto quel che posso fare per ora al telefono.

4.

Va detto, per essere giusti, che spesso mi parlano anche di figli che vanno bene a scuola: la madre metodica, per esempio, alla ricerca del miglior liceo per la figlia, come sin dalla nascita della bambina fu alla ricerca della migliore scuola materna, e che amabilmente mi attribuisce una competenza per questa pesca ad alta quota; o la madre venuta da un altro mondo, prima immigrazione, custode del mio palazzo, che ha intuito strane doti nella figlia, e ha proprio ragione, la ragazza deve andare avanti, scegliere un ciclo lungo all'università, non ci sono dubbi, poi un dottorato in qualcosa, avrà anche la scelta della materia... (Infatti adesso sta finendo di studiare legge.) E poi c'è L.M., agricoltore nel Vercors, convocato dalla maestra del villaggio, visti i risultati eccezionali del figlio...

"Mi ha chiesto cosa vorrei che facesse da grande."

Solleva il bicchiere alla mia salute:

"Siete proprio dei bei tipi, voi prof, con le vostre domande...".

"Allora cosa le hai risposto?"

"Cosa vuoi che risponda, un padre? Il massimo! Presidente della repubblica!"

E c'è l'opposto, un altro padre, addetto alle pulizie, che vuole assolutamente che il figlio finisca presto di studiare, per metterlo al lavoro, perché il ragazzino "porti a casa qualcosa" subito ("Uno stipendio in più in famiglia non sarebbe male!"). Ma si dà il caso che il ragazzino voglia diventare per l'appunto docente di scuola primaria, maestro elementare come si diceva una volta, e trovo che sia un'ottima idea, mi farebbe piacere che entrasse nell'insegnamento, quel ragazzo così sveglio e che ne ha tanta voglia, contrattiamo, contrattiamo, ne va della felicità dei futuri allievi di quel futuro collega...

Insomma, ecco che anch'io mi metto a credere nel futuro, che ritrovo fiducia nella scuola pubblica. Dopo tutto è quella che ha formato mio padre, la scuola dell'obbligo, e a novant'anni di distanza questo ragazzino assomiglia molto a quello che doveva essere mio padre, il piccolo corso di Aurillac, verso l'anno 1913, quando suo fratello maggiore si mise a lavorare per offrire al fratello minore i mezzi e il tempo di varcare le porte del politecnico.

E poi ho sempre incoraggiato i miei amici e i miei allievi più brillanti a diventare insegnanti. Ho sempre pensato che la scuola fosse fatta prima di tutto dagli insegnanti. In fondo, chi mi ha salvato dalla scuola se non tre o quattro insegnanti?

5

C'è il padre irritato che proclama, categorico:
"Mio figlio è immaturo".

Un uomo giovane, rigidamente seduto nella perpendicolare del suo completo scuro. Dritto sulla sedia, dichiara di punto in bianco che suo figlio è immaturo. È una constatazione. Non implica né domande né commenti. Esige una soluzione, punto e basta. Chiedo comunque l'età del figlio in questione.

Risposta immediata.

"Già undici anni."

È un giorno in cui non sono in forma. Dormito male, probabilmente. Mi prendo la fronte tra le mani, per dichiarare infine, come un Rasputin infallibile:

"Ho la soluzione".

Solleva un sopracciglio. Sguardo soddisfatto. Perfetto, siamo tra professionisti. Allora, questa soluzione?

Gliela do.

"Aspetti."

Non è contento. La conversazione non andrà molto lontano.

"Questo ragazzino non può mica passare il tempo a giocare!"

L'indomani incontro per strada il medesimo padre. Stesso completo scuro, stessa rigidità, stessa ventiquattrore.

Ma gira in monopattino.

Giuro che è vero.

6.

Nessun avvenire.

Bambini che *non diventeranno.*

Bambini che fanno cadere le braccia.

Alle elementari, alle medie, poi al liceo, ci credevo anch'io, vero come l'oro, a questa esistenza senza avvenire.

È addirittura la primissima cosa di cui si convince il ragazzo che va male a scuola.

"Con dei voti del genere, cosa puoi sperare?"

"Credi di poter andare in prima media? (in seconda, in terza, in prima liceo...)

"Quante probabilità hai, secondo te, di essere promosso alla maturità, fammi un favore, calcola tu stesso le probabilità, su cento, quante?"

O quella preside di scuola media, con un vero e proprio grido di gioia:

"Tu, Pennacchioni, il diploma di terza media? Non l'avrai mai! Hai capito? Mai!".

Detto fremendo.

In ogni caso non diventerò mai come te, vecchia pazza! Non sarò mai un prof, ragno invischiato nella sua stessa tela, aguzzino inchiodato alla cattedra fino alla fine dei suoi giorni. Mai! Noi studenti passiamo, voi invece restate! Noi siamo liberi e voi vi siete beccati l'ergastolo. A scuola noi andiamo male, ma almeno andiamo da qualche parte! L'aula scolastica non sarà mai il misero recinto della nostra vita!

Disprezzo per disprezzo, mi aggrappavo a questa pessima consolazione: noi passiamo, i prof restano; è una conversazione abituale tra quelli dell'ultimo banco. I somari si nutrono di parole.

Non sapevo, allora, che anche gli insegnanti ogni tanto la provano, questa sensazione di carcere a vita: rifriggere all'infinito le stesse lezioni davanti a classi intercambiabili, essere oppressi dal quotidiano fardello dei compiti da correggere (non è possibile immaginare Sisifo felice con un pacco di compiti da correggere!), ignoravo che la ripetitività è la prima ragione addotta dagli insegnanti quando decidono di lasciare il lavoro, non potevo immaginare che alcuni di loro proprio soffrono a rimanersene seduti lì, mentre gli studenti passano... Non sapevo che anche gli insegnanti ci pensano, al futuro: prendermi un dottorato, finire la tesi, reiscrivermi all'università, decollare verso una specializzazione, optare per la ricerca, andarmene all'estero, dedicarmi alla creazione, mollare finalmente quei brufolosi amorfi e vendicativi che producono tonnellate di carta, non sapevo che quando gli insegnanti non pensano al loro avvenire, vuol dire che si occupano di quello dei figli, degli studi superiori della prole... Non sapevo che la testa degli insegnanti è satura di avvenire. Credevo fossero lì solo per precludermi il mio.

Divieto di avvenire.

A forza di sentirmelo ripetere, mi ero fatto un'immagine piuttosto precisa di questa vita senza futuro. Non che il tempo avrebbe smesso di passare, non che il futuro non esistesse, no, ma io sarei stato identico a quello che ero oggi. Non lo stesso, certo, non come se il tempo non fosse fuggito via, ma come se gli anni si fossero accumulati senza che in me nulla fosse cambiato, come se il mio istante futuro minacciasse di essere rigorosamente identico al mio presente. E di che cosa era fatto il mio presente? Di una sensazione di inadeguatezza esasperata dalla somma dei miei istanti passati. Ero negato a scuola *e non ero mai stato altro che questo*. Il tempo sarebbe passato, certo, e poi la crescita, certo, e i casi della vita, certo, ma io avrei attraversato l'esistenza senza giungere ad alcun *risultato*. Era ben più di una certezza, ero io.

Di ciò, alcuni bambini si convincono molto presto e se non trovano nessuno che li faccia ricredere, siccome non si può vivere senza passione, in mancanza di meglio sviluppano la passione del fallimento.

7

L'avvenire, una strana minaccia...
Pomeriggio d'inverno. Nathalie scende di corsa le scale della scuola media singhiozzando. Un magone che vuole farsi sentire. Che usa il cemento come cassa di risonanza. È ancora piccola, i suoi passi di bambina sui gradini riecheggiano leggeri. Sono le cinque e mezzo, quasi tutti gli studenti se ne sono andati. Sono uno degli ultimi professori a passare di lì. Il tam-tam dei passi sugli scalini, l'esplosione dei singhiozzi: ohi ohi, patema scolastico, pensa il professore, esagerazione, esagerazione, patema probabilmente esagerato! Nathalie è giunta ai piedi delle scale. Be', Nathalie, be', be', cos'è questo patema? Conosco questa allieva, l'ho avuta l'anno precedente, in prima. Una bambina insicura, da tranquillizzare spesso. Che succede, Nathalie? Resistenza di principio: Niente, prof, niente. Allora, tanto rumore per niente, signorinella! I singhiozzi raddoppiano e Nathalie, finalmente, spiega tra i singulti la propria pena:
"Pro... Profes... ssore... non... non... riesco... non riesco a capi... non riesco a capire...".
"A capire cosa? Cosa non riesci a capire?"
"La pr... la pro..."
E di colpo il tappo salta, ed esce tutto d'un fiato:
"La proposizione-subordinata-concessiva-introdotta-da-congiunzione...".
Silenzio.
Non ridere.

Mi raccomando, non ridere.

"La proposizione subordinata concessiva? È lei a ridurti in questo stato?"

Sollievo. Il prof si mette a pensare molto in fretta e molto seriamente alla proposizione in questione; come spiegare all'allieva che non c'è da farne una tragedia, che lei la usa senza saperlo, questa cavolo di proposizione (peraltro una delle mie preferite, ancorché sia possibile preferire una subordinata a un'altra...), la proposizione che rende possibili tutte le discussioni, condizione prima della sottigliezza, nella sincerità come nella malafede, bisogna ammetterlo, e tuttavia non c'è tolleranza senza concessione, piccola mia, sta tutto qui, basta elencare le congiunzioni che la introducono, questa subordinata: *benché, nonostante che, ancorché, sebbene, malgrado*, lo senti che dopo parole del genere ci avviamo verso la sottigliezza, che andremo a dividere capra e cavoli, che questa proposizione farà di te una ragazza misurata e riflessiva, pronta ad ascoltare e a non rispondere a vanvera, una donna con argomenti, magari una filosofa, ecco cosa farà di te, la subordinata concessiva!

Ecco, il professore è partito: come consolare una ragazzina con una lezione di grammatica? Vediamo un po'... Hai cinque minuti, Nathalie? Vieni che ti spiego. Classe vuota, siediti, stammi bene a sentire che è semplicissimo... Si siede, mi ascolta, è semplicissimo. Ci siamo? Hai capito? Prova un po' a farmi un esempio? Esempio giusto. Ha capito. Bene. Va meglio adesso? Neanche per sogno, non va affatto meglio, nuova crisi di pianto, lacrime grosse così, e di colpo questa frase che non ho mai dimenticato:

"Non si rende conto, professore, ho dodici anni e mezzo e non ho concluso niente".

"..."

Tornato a casa, rimugino la frase. Cos'ha mai voluto dire quella ragazzina? "Non ho concluso niente." Niente di male, in ogni caso, innocente Nathalie.

Dovrò aspettare l'indomani sera, dopo aver chiesto informazioni, per venire a sapere che il padre di Nathalie è stato licenziato dopo dieci anni di onorato servizio in qualità di dirigente in una ditta di non so più cosa. È uno dei primissimi dirigenti licenziati. Siamo alla metà degli anni ottanta, fino ad allora la disoccupazione apparteneva alla cultura operaia, se così si può dire. E quell'uomo, giovane, che non ha mai dubitato del proprio ruolo nella società, dirigente modello e padre attento (l'ho visto più volte l'anno precedente, preoccupato per la figlia così timida, così priva di fiducia in se stessa) è crollato. Ha fatto un bilancio definitivo. A tavola, in famiglia, continua a ripetere: "Ho trentacinque anni e non ho concluso niente".

8.

Il padre di Nathalie inaugurava un'epoca in cui l'avvenire stesso sarebbe stato considerato senza avvenire; un decennio durante il quale gli studenti se lo sarebbero sentito ripetere tutti i giorni e in tutte le salse: finite le vacche grasse, ragazzi miei! E finiti gli amori facili! Disoccupazione e Aids per tutti, ecco cosa vi aspetta. Sì, è quello che gli abbiamo detto e ridetto, genitori o professori, negli anni seguenti, per "motivarli". Un discorso come un cielo coperto. Ecco cosa faceva piangere la piccola Nathalie, provava un magone anticipato, piangeva il suo futuro come per un giovane morto. Si sentiva in colpa, come se con le sue difficoltà in grammatica lo uccidesse ogni giorno un po' di più. È vero, peraltro, che il suo insegnante si era sentito in dovere di dirle che aveva "sciacquatura di piatti nel cervello". Sciacquatura di piatti, Nathalie? Fammi un po' sentire... Le avevo scosso la testolina con l'espressione di un medico attento... No, no, niente acqua qui dentro, né piatti... Ecco, un timido sorriso. Aspetta un po'... E le avevo tamburellato con l'indice ripiegato sulla testolina, come per bussare a una porta... No, davvero, qui sento proprio un bel cervelletto, Nathalie, proprio ottimo, un bellissimo suono, esattamente il suono che fanno le teste piene di idee! Risatina, finalmente.

Che tristezza gli abbiamo messo nel cuore, in tutti questi anni! E come preferisco la risata di Marcel Aymé, la bella risata perfida di Marcel, quando elogia la saggezza del figlio che ha fiutato la disoccupazione prima di tutti gli altri:

"Tu, Emile, sei stato ben più furbo di tuo fratello. C'è da dire che sei il maggiore e conosci meglio la vita. Comunque sia, per te non mi preoccupo, hai saputo resistere alla tentazione, e siccome non hai mai combinato un tubo adesso sei pronto all'esistenza che ti aspetta. Vedi, la cosa più dura per il disoccupato è il fatto di non essere stato abituato a quella vita lì sin dall'infanzia. È più forte di lui, ha nelle mani un prurito per il lavoro. Con te sono tranquillo, te ne stai da sempre con le mani in mano che non c'è proprio pericolo che ti venga il prurito."

"Però," protestò Emile, "so leggere quasi correntemente."

"E anche questo dimostra quanto sei furbo. Senza stancarti né prendere brutte abitudini lavorative, sei capace di seguire il Tour de France sul giornale, e tutte le cronache sportive scritte per lo svago del disoccupato. Ah! Tu sì che sarai un uomo felice...".

9.

Sono passati più di vent'anni. Oggi la disoccupazione appartiene a tutte le culture, alle nostre latitudini l'avvenire professionale non sorride più a molti, l'amore non brilla e Nathalie deve essere una giovane donna di trentasette anni (e mezzo). E madre, chi lo sa. Magari di una figlia di dodici anni. Nathalie è disoccupata o fiera della propria posizione sociale? Persa nella solitudine o felice e innamorata? Donna equilibrata, esperta in concessive-subordinate? Esprime il suo sgomento nelle conversazioni a tavola, o pensa valorosamente al morale della figlia quando la bambina varca la porta della classe?

10.

I nostri studenti che "vanno male" (studenti ritenuti senza avvenire) non vengono mai soli a scuola. In classe entra una cipolla: svariati strati di magone, paura, preoccupazione, rancore, rabbia, desideri insoddisfatti, rinunce furibonde accumulati su un substrato di passato disonorevole, di presente minaccioso, di futuro precluso. Guardateli, ecco che arrivano, il corpo in divenire e la famiglia nello zaino. La lezione può cominciare solo dopo che hanno posato il fardello e pelato la cipolla. Difficile spiegarlo, ma spesso basta solo uno sguardo, una frase benevola, la parola di un adulto, fiduciosa, chiara ed equilibrata per dissolvere quei magoni, alleviare quegli animi, collocarli in un presente rigorosamente indicativo.

Naturalmente il beneficio sarà provvisorio, la cipolla si ricomporrà all'uscita e forse domani bisognerà ricominciare daccapo. Ma insegnare è proprio questo: ricominciare fino a scomparire come professori. Se non riusciamo a collocare i nostri studenti nell'indicativo presente della nostra lezione, se il nostro sapere e il piacere di servirsene non attecchiscono su quei ragazzini e quelle ragazzine, nel senso botanico del termine, la loro esistenza vacillerà sopra vuoti infiniti. Certo, non saremo gli unici a scavare quei cunicoli o a non riuscire a colmarli, ma quelle donne e quegli uomini avranno comunque passato uno o più anni della loro giovinezza seduti di fronte a noi. E non è poco un anno di scuola andato in malora: è l'eternità in un barattolo.

11.

Bisognerebbe inventare un tempo specifico per l'apprendimento. Il *presente d'incarnazione*, per esempio. Sono qui, in questa classe, e finalmente capisco! Ci siamo! Il mio cervello si propaga nel mio corpo: *si incarna*.

Quando non succede, quando non capisco niente, mi sfaldo, mi disintegro in questo tempo che non passa, mi riduco in polvere e un soffio basta a disperdermi.

Ma, affinché la conoscenza possa incarnarsi nel presente di una lezione, occorre smettere di brandire il passato come una vergogna e l'avvenire come un castigo.

12.

A proposito, che fine hanno fatto quelli che sono *diventati*?

F. è morto qualche mese dopo essere stato mandato in pensione. J. si è buttato dalla finestra poco prima di andarci. G. soffre di depressione. Quell'altro ne è appena uscito. I medici di J.F. fanno risalire l'inizio del suo Alzheimer al primo anno del pensionamento anticipato. Idem quelli di P.B. La povera L. piange a calde lacrime per essere stata licenziata dal gruppo editoriale dove pensava di occuparsi dell'attualità *ad vitam aeternam*. E penso anche al ciabattino di P., morto per non aver trovato nessuno che rilevasse la sua bottega. "Allora la mia vita non vale niente?" continuava a ripetere. Nessuno voleva comprare la sua ragione di esistere. "Tutto questo per niente?" È morto di crepacuore.

Quest'altro è un diplomatico; in pensione tra sei mesi, più di ogni altra cosa teme il faccia a faccia con se stesso. Cerca di fare altro: consulente internazionale di un gruppo industriale? Esperto di così o cosà? Quello, invece, è stato primo ministro. Lo ha sognato per trent'anni, sin dai primi successi elettorali. Sua moglie lo ha sempre incoraggiato. È una vecchia volpe della politica, sapeva che quel ruolo da protagonista, il governo Taldeitali, era per sua natura temporaneo. E pericoloso. Sapeva che alla prima occasione sarebbe stato lo zimbello della stampa, un bersaglio ideale, anche per il suo schieramento, un vero *capo* espiatorio. Forse conosceva la battuta di Clemenceau sul suo capo di gabinetto, nel 1917:

"Quando io scoreggio, è lui a puzzare". (Sì, gli uomini politici hanno di queste finezze. Quanto più devono soppesare le dichiarazioni pubbliche, tanto più sono grossolani fra gli amici.) Quindi diventa primo ministro. Accetta questo contratto rischioso a durata limitata. Lui e la moglie si sono corazzati all'uopo. Primo ministro per alcuni anni. Bene. Gli alcuni anni passano. Come previsto, salta. Perde il ministero. Il suo entourage sostiene che per lui è un duro colpo: "Teme per il suo avvenire". Al punto che una depressione lo trascina sull'orlo del suicidio.

Maledizione del ruolo sociale per il quale siamo stati istruiti ed educati, e che abbiamo recitato "per tutta la vita", cioè per la metà del nostro tempo da vivere: toglieteci il ruolo, non siamo più nemmeno l'attore.

Queste carriere finite tragicamente evocano un'angoscia a mio avviso assai paragonabile al tormento dell'adolescente che, convinto di non avere alcun avvenire, prova così tanto dolore a dover continuare comunque. Ridotti a noi stessi, siamo ridotti a nulla. Tanto che, qualche volta, ci uccidiamo. Come minimo, è una lacuna nella nostra educazione.

13.

Ci fu un anno in cui fui particolarmente scontento di me stesso. Del tutto infelice di essere quello che ero. Assai desideroso di non diventare. La finestra della mia stanza si affacciava sui Massicci de La Gaude e di Saint-Jeannet, due rupi scoscese delle nostre Alpi del Sud, note per abbreviare le sofferenze degli innamorati respinti. Un mattino in cui contemplavo quelle rocce con un po' troppo trasporto, bussarono alla porta della mia stanza. Era mio padre. Ha solo infilato dentro la testa:

"Ah! Daniel, mi ero dimenticato di dirtelo: il suicidio è un'imprudenza".

14.

Ma torniamo agli inizi. Sconvolta dal mio furto con scasso in famiglia, mia madre era andata a chiedere consigli al direttore della mia scuola, un personaggio bonario e perspicace, con un gran nasone rassicurante (gli studenti l'avevano soprannominato Canappia). Reputandomi più ansioso e fragile che pericoloso, Canappia consigliò l'allontanamento e l'aria buona. Un soggiorno ad alta quota mi avrebbe rimesso in sesto. Un collegio di montagna, sì, era questa la soluzione, mi sarei rimesso in forze e avrei imparato le regole della vita di comunità. Non si preoccupi, signora, lei non è la madre di Arsenio Lupin, ma di un piccolo sognatore cui occorre dare il senso della realtà. Seguirono i miei primi due anni di convitto, seconda e terza media, durante i quali rividi la famiglia solo a Natale, a Pasqua e durante le vacanze estive. Gli altri anni li avrei trascorsi in convitti in cui tornavo a casa ogni fine settimana.

Sapere se fui "felice" in collegio è cosa del tutto secondaria. Diciamo che la condizione di convittore mi fu infinitamente più sopportabile di quella di esterno.

È difficile spiegare ai genitori di oggi i vantaggi del convitto, talmente lo considerano alla stregua della galera. Mandarci i figli è per loro una specie di disconoscimento di paternità. Menzionare la semplice eventualità di un anno di collegio significa passare per un mostro retrogrado, fautore della prigione per i somari. Inutile spiegare che tu stesso ci sei sopravvissuto, poiché ti viene subito opposto l'argomento dell'altra epoca: "Sì, ma a quei tempi i bambini si tiravano su in maniera spartana!".

Oggi che è stato inventato l'amore paterno, la questione del collegio è tabù, tranne che come minaccia, a riprova del fatto che non viene considerata una soluzione possibile.

Eppure...

No, non farò l'elogio del convitto.

No.

Proviamo solo a descrivere l'incubo quotidiano di uno studente esterno in situazione di "fallimento scolastico".

15.

Quale esterno? Per esempio uno di quelli su cui mi intrattengono le mie madri telefoniche, madri che per nulla al mondo manderebbero in collegio i propri figli. Consideriamo l'ipotesi migliore: è un bravo ragazzo, amato dalla famiglia; non vuole la morte di nessuno ma, a furia di non capire, non combina più niente e riceve pagelle in cui gli insegnanti esprimono giudizi senza speranza: "Nessun impegno", "Non ha fatto niente, non ha consegnato niente", "In caduta libera", o più sobriamente: "Che dire?". (Mentre scrivo queste righe, ho sotto gli occhi questa pagella e alcune altre.)

Seguiamo il nostro cattivo esterno in una delle sue giornate scolastiche. Eccezionalmente, non è in ritardo – negli ultimi tempi le note sul diario l'hanno richiamato all'ordine fin troppo spesso – ma ha la cartella quasi vuota: libri, quaderni, materiale dimenticati per l'ennesima volta (il suo professore di musica scriverà simpaticamente sulla scheda di valutazione trimestrale: Mancanza di flauto).

Ovviamente non ha fatto i compiti. E alla prima ora c'è matematica, e gli esercizi di matematica sono fra quelli che mancano all'appello. In tal caso, tre ipotesi: o non ha fatto gli esercizi perché si è dedicato ad altro (un giro con gli amici, un qualsiasi videomassacro chiuso a chiave in camera sua...), oppure si è lasciato cadere fiaccamente sul letto, sfinito, ed è sprofondato nell'oblio, con un torrente di musica che gli urla nel cervello, oppure – ed è l'ipotesi più ottimistica – per una o due ore ha tentato valorosamente di fare gli esercizi, ma non ci è riuscito.

Nei tre casi, in mancanza di compiti il nostro esterno deve fornire una giustificazione all'insegnante. E, nel caso specifico, la spiegazione più difficile da fornire è la verità pura e semplice: "Professore, professoressa, non ho fatto gli esercizi perché ho passato buona parte della notte a combattere i soldati del Male, che peraltro ho sterminato tutti fino all'ultimo, ve lo posso assicurare". "Professoressa, professore, mi dispiace di non aver fatto gli esercizi, ma ieri sera sono crollato nell'intontimento più assoluto, non riuscivo ad alzare un dito, solo la forza di infilarmi gli auricolari del lettore cd."

Qui la verità presenta l'inconveniente dell'ammissione "Non ho fatto gli esercizi" che implica una sanzione immediata. Il nostro esterno preferirà una versione istituzionalmente più presentabile. Per esempio: "Siccome i miei genitori sono separati, ho dimenticato i compiti a casa di mio papà prima di tornare a casa della mamma". In altri termini, una bugia. Dal canto suo, il professore preferisce spesso questa verità ritoccata a una confessione troppo brutale che incrinerebbe la sua autorità. Lo scontro frontale è evitato, lo studente e l'insegnante trovano il loro tornaconto in questo passo a due diplomatico. Quanto al voto, la tariffa è nota: compito non consegnato uguale zero.

Il caso dell'esterno che ha tentato valorosamente ma invano di fare i compiti non è molto diverso. Anche lui entra in classe con una verità difficilmente accettabile: "Professore, ieri ho dedicato due ore a *non fare* i suoi compiti. No, no, non ho fatto altro, mi sono seduto alla scrivania, ho tirato fuori il quaderno degli esercizi, ho letto i testi dei problemi e per due ore mi sono ritrovato in uno stato di siderazione matematica, una paralisi mentale da cui sono uscito solo quando ho sentito mia madre chiamarmi per andare a tavola. Capisce, non ho fatto i suoi compiti, ma ci ho davvero dedicato quelle due ore. Dopo cena era troppo tardi, mi aspettava un'altra seduta di catalessia: l'esercizio di inglese". "Se ascoltassi di più in classe, capiresti meglio le indicazioni!" può obiettare (a giusto titolo) il professore.

Per evitare questa pubblica umiliazione, il nostro esterno preferirà anche lui una presentazione diplomatica dei fatti: "Stavo leggendo le indicazioni quando è esplosa la caldaia".

E così di seguito, dalla mattina alla sera, da una materia all'altra, da un professore all'altro, giorno dopo giorno, in un crescendo della menzogna che arriva al famoso "È mia madre... È morta" di François Truffaut.

Dopo questa giornata passata a mentire all'istituzione scolastica, la prima domanda che il nostro cattivo esterno sentirà appena tornato a casa sarà l'immancabile: "Allora, com'è andata oggi?".

Bene.

Nuova bugia.

E anche questa richiede di essere annacquata con un briciolo di verità:

"In storia la prof mi ha chiesto il 1515, ho risposto vittoria di Marignano, era molto contenta!".

(Dai, fino a domani siamo a posto.)

Ma domani arriva presto e le giornate si ripetono e il nostro esterno riprende i suoi viavai tra la scuola e la famiglia, e tutta la sua energia mentale è spesa a tessere una sottile rete di pseudo-coerenza tra le bugie proferite a scuola e le mezze verità rifilate alla famiglia, tra le spiegazioni fornite agli uni e le giustificazioni presentate agli altri, tra le caricature degli insegnanti che fa ai genitori e le allusioni ai problemi famigliari che accenna agli insegnanti, un atomo di verità nelle une e nelle altre, sempre, poiché finiranno per incontrarsi, genitori e insegnanti, è inevitabile, e bisogna pensare a questo incontro, cesellare instancabilmente la finzione vera che costituirà l'argomento di quel colloquio.

Questa attività mentale richiede un'energia non paragonabile alla fatica spesa dal buon studente per fare un buon compito. Il nostro cattivo esterno ne esce stremato. Se anche volesse (sporadicamente lo vuole) non avrebbe più alcuna forza per mettersi davvero a studiare. La finzione in cui si è impantanato lo tiene prigioniero *altrove*, da qualche parte tra la scuola da combattere e la famiglia da rassicurare, in una terza e angosciante dimensione in cui spetta all'immaginazione di colmare le innumerevoli brecce da cui può sbucare il reale nei suoi aspetti più temuti: bugia scoperta, collera degli uni, dolore degli altri, accuse, punizioni, magari bocciatura, bilanci, impotente senso di colpa, umiliazione, compiacimento nello smacco: Hanno ragione, sono una nullità, una nullità, una nullità.

Sono *una nullità*.

Orbene, nella società in cui viviamo un adolescente tenacemente convinto di essere una nullità – questo, almeno, l'esperienza vissuta ce lo ha insegnato – è una preda.

16.

Le ragioni per cui insegnanti e genitori sono talora inclini a sorvolare su queste bugie o a esserne complici sono troppo numerose per essere prese in esame. Quante balle ogni giorno, con quattro o cinque classi di trentacinque allievi? può legittimamente domandarsi un professore. Dove trovare il tempo necessario per indagare? E poi, sono forse un investigatore? Devo forse, sul piano dell'educazione morale, sostituirmi alla famiglia? Se sì, entro quali limiti? E così di seguito, litania di interrogativi ognuno dei quali costituisce, prima o poi, l'argomento di un'appassionata discussione fra colleghi.

Ma c'è un'altra ragione per cui il professore ignora queste bugie, una ragione più nascosta che se venisse chiaramente alla luce suonerebbe più o meno così: Questo ragazzo è l'incarnazione del mio fallimento professionale. Non riesco a fargli fare progressi né a farlo studiare, riesco a stento a farlo venire in classe, e comunque posso contare solo sulla sua presenza fisica.

Fortunatamente, appena sorge, questa autocritica viene contrastata con una gran quantità di argomentazioni inoppugnabili: Con lui ho fallito, certo, ma con molti altri ho avuto successo. Non è mica colpa mia se questo ragazzo è in terza media! Cosa gli hanno insegnato quelli che mi hanno preceduto? Non è forse colpa dell'innalzamento dell'obbligo scolastico? E cosa credono i suoi genitori? Pensano forse che con classi così numerose e un orario simile io possa riuscire a metterlo al passo con gli altri?

Tutte domande che, tirando in ballo il passato dello studente, la famiglia, i colleghi, l'istituzione stessa, ci permettono di redigere in buona coscienza il giudizio più diffuso di tutte le schede di valutazione: *Mancanza di basi* (che ho trovato persino su una scheda di valutazione del corso preparatorio all'esame di stato di ingegneria!). Detto in altri termini: patata bollente.

Bollente, la patàta lo è soprattutto per i genitori. Continuano a farla saltare da una mano all'altra. Sono esasperati dalle bugie quotidiane di questo ragazzino: bugie per omissione, affabulazioni, spiegazioni esageratamente dettagliate, giustificazioni anticipate: "In realtà è successo che...".

Sfiniti, molti genitori fingono di accettare queste misere fandonie, in primis per placare temporaneamente la propria angoscia (l'atomo di verità – Marignano 1515), poi per preservare l'atmosfera famigliare, affinché la cena non si trasformi in una tragedia, stasera no per favore; per rimandare la prova della confessione che strazia il cuore a tutti, insomma per ritardare il momento in cui si misurerà senza grande sorpresa l'ampiezza della waterloo scolastica ricevendo la scheda di valutazione trimestrale, più o meno abilmente ritoccata dal principale interessato, che tiene d'occhio la casella della posta.

Ci pensiamo domani,
ci pensiamo domani...

17.

Una delle storie più memorabili di complicità adulta alle bugie di un bambino è la disavventura capitata al fratello del mio amico B. All'epoca doveva avere dodici o tredici anni. Poiché teme una interrogazione di matematica, chiede al suo migliore amico dove si trova esattamente l'appendice. Dopodiché si accascia simulando una crisi atroce. Il preside finge di credergli, lo rimanda a casa, non fosse che per sbarazzarsi di lui. Da qui i genitori – cui ne ha combinate di tutti i colori – lo portano senza illusioni in una clinica vicina, dove, sorpresa, viene operato all'istante! Dopo l'operazione il chirurgo compare, reggendo un vaso in cui galleggia un lungo affare sanguinolento, e dichiara, con il volto raggiante di innocenza: "Ho fatto bene a operarlo, stava per andare in peritonite!".

Perché le società si reggono anche sulla menzogna condivisa.

O questa altra storia più recente: N., preside di un liceo parigino, pone grande attenzione alla frequenza scolastica. Fa lei stessa l'appello in quinta. Tiene particolarmente d'occhio un recidivo, che ha minacciato di espulsione alla prossima assenza ingiustificata. Quella mattina il ragazzo è assente; è la volta di troppo. N. chiama subito la famiglia dal telefono della segreteria. La madre, desolata, dichiara che il figlio è davvero malato, a letto, con un febbrone da cavallo, e le assicura che stava per avvertire la scuola. N. mette giù il telefono, soddisfatta; tutto è sotto controllo. Peccato che incroci il ragazzo tornando nel suo ufficio. Era semplicemente andato in bagno durante l'appello.

18.

Limitando il viavai tra la scuola e la famiglia, la condizione di interno in un convitto presenta, rispetto a quella di esterno, il vantaggio di collocare il nostro studente in due tempo-
ralità distinte: la scuola dal lunedì mattina al venerdì sera, la
famiglia durante il fine settimana. Un gruppo di interlocutori durante cinque giorni lavorativi, l'altro durante due giorni
festivi (che hanno la possibilità di tornare a essere festosi). La
realtà scolastica da un lato, la realtà famigliare dall'altro. Ad-
dormentarsi senza dover rassicurare i genitori con la quotidiana bugia, svegliarsi senza doversi armare di scuse per i compiti non fatti, visto che sono stati fatti durante lo studio assistito con, nel migliore dei casi, l'aiuto di un prefetto o di un
insegnante. Riposo mentale, insomma; un'energia recupera-
ta che ha qualche probabilità di essere investita nello studio.
Forse tutto questo non è sufficiente a spingere il somaro in
testa alla classe, ma consente almeno di dargli una possibilità di vivere il presente in quanto tale. Ed è proprio nella con-
sapevolezza del proprio presente che l'individuo si costruisce, non fuggendolo.
Qui finisce il mio elogio del collegio.
Ah no, giusto per terrorizzare tutti, aggiungerò, per aver-
vi insegnato io stesso, che i convitti migliori sono quelli dove
anche i professori sono interni. Disponibili in ogni momento, in caso di emergenza.

19.

Da notare che, in questi ultimi vent'anni durante i quali il collegio ha avuto così cattiva fama, tre dei maggiori successi del cinema e della letteratura popolari presso i giovani sono stati *L'attimo fuggente*, *Harry Potter* e *Les choristes*, tutti e tre ambientati in un collegio. Tre collegi molto all'antica, oltre tutto: divise, rituali e punizioni corporali presso gli anglosassoni, grembiuli grigi, edifici mesti, insegnanti polverosi e scapaccioni ne *Les choristes*.

Sarebbe interessante analizzare il successo trionfale che ottenne tra i giovani spettatori del 1989 *L'attimo fuggente*, quasi unanimemente denigrato dalla nostra critica e dalle nostre aule professori: demagogico, furbo, arcaico, prevedibile, sentimentale, cinematograficamente e intellettualmente povero, tutti argomenti senz'altro inoppugnabili... Rimane il fatto che orde di liceali si precipitarono a vederlo e uscirono estasiati. Presumere che fossero incantati solo dai difetti del film significa farsi una ben misera opinione di un'intera generazione. Gli anacronismi del professor Keating, per esempio, non erano sfuggiti ai miei studenti, né la sua malafede:

"Keating non è del tutto 'onesto', professore, con il suo *carpe diem*, ne parla come se fossimo ancora nel Cinquecento, ma nel Cinquecento si moriva molto più giovani di oggi!".

"E poi l'inizio è bruttissimo quando lui fa strappare il libro di scuola, uno che dice di essere così aperto... Allora, già che c'è, perché non si mette a bruciare i libri che non gli piacciono? Io mi sarei rifiutato."

Tolto questo, ai miei studenti il film era piaciuto "un sacco". Tutti e tutte si identificavano con quei giovani americani della fine degli anni cinquanta che, dal punto di vista sociale e culturale, erano simili a loro quanto possono esserlo i marziani. Tutti e tutte adoravano l'attore Robin Williams (di cui gli adulti pensavano che gigioneggiasse un po' troppo). Il suo professor Keating incarnava ai loro occhi il calore umano e l'amore per il suo lavoro: passione per la materia insegnata, dedizione assoluta ai suoi allievi, il tutto accompagnato da un infaticabile dinamismo degno di un coach. La campana di vetro del collegio accentuava l'intensità delle sue lezioni, conferiva loro una sorta di intimità drammatica che innalzava i nostri giovani spettatori alla dignità di studenti a pieno titolo. Ai loro occhi le lezioni di Keating erano un rito di passaggio che riguardava solo ed esclusivamente loro. Cosa che uno dei miei studenti espresse senza mezzi termini.

"Vabbè, ai prof non piace. Ma è il nostro film, non il vostro!"

Esattamente quello che doveva aver pensato la maggior parte dei professori in questione, venti anni prima, quando, liceali anch'essi, avevano esultato al film Palma d'oro del Festival di Cannes 1969, intitolato *If*, un'altra storia di collegio in cui i più brillanti allievi di un *college* più inglese che mai prendevano d'assalto la scuola e, appostati sui tetti, sparavano con il mitra e il mortaio contro i genitori, il vescovo e i professori riuniti per la consegna dei premi di fine anno. Spettatori adulti scandalizzati, come è d'uopo, universitari e liceali esultanti, prevedibilmente: È il nostro film, non il loro!

A quanto pareva, i tempi erano cambiati!

Allora mi sono detto che uno studio comparato di tutti i film sulla scuola la direbbe lunga sulle società che li avevano visti nascere. Dallo *Zero in condotta* di Jean Vigo al famoso *Attimo fuggente*, passando per *Gli scomparsi di Saint-Agil* di Christian-Jaque (1939), *La gabbia degli usignoli* di Jean Dréville (1944, modello de *Les choristes*), *Il seme della violenza* di Richard Brooks (Usa, 1955), *I quattrocento colpi* di François Truffaut (1959), *Primo maestro* di Michalkov-Končalovskij (Urss, 1965), *La prima notte di quiete* di Zurlini (Italia,

1972), cui si può aggiungere, dopo il 1990, *Il portaborse* di Daniele Luchetti (Italia,1991), *Lavagne* dell'iraniana Samira Makhmalbaf (2000), *La schivata* di Abdellatif Kechiche (2002) e alcune altre decine.

Il mio progetto di studio comparato non è andato oltre lo stadio dell'intenzione: lo realizzi chi vuole, se non è già stato fatto. Rimane comunque un buon pretesto per una retrospettiva. La maggior parte di questi film ha riscosso un enorme successo di pubblico e se ne potrebbero trarre numerosi insegnamenti interessanti, tra cui questo: dall'epoca di Rabelais, ogni generazione di Gargantua prova un giovanile orrore nei confronti degli Oloferne e un grande bisogno di Ponocrate, in altri termini il desiderio sempre rinnovato di formarsi in opposizione al clima dell'epoca, allo spirito del luogo, e il desiderio di sbocciare all'ombra – o meglio nella luce! – di un maestro reputato esemplare.

20.

Ma torniamo alla questione del diventare.

Febbraio 1959, settembre 1969. Dieci anni erano quindi trascorsi tra la funesta lettera che avevo scritto a mia madre e quella che mio padre spediva al figlio *professore*.

I dieci anni in cui sono diventato.

Come si compie la metamorfosi da somaro a professore?

E, a latere, quella da analfabeta a romanziere?

È ovviamente la prima domanda che sorge.

Come sono diventato?

La tentazione di non rispondere è forte. Argomentando, per esempio, che la maturazione non può essere descritta, quella degli individui come quella delle arance. In quale momento l'adolescente più ribelle atterra sul terreno della realtà sociale? Quando decide di stare al gioco, seppur poco? È una decisione che dipende solo da lui? Che ruolo svolgono l'evoluzione organica, la chimica cellulare, la strutturazione della rete neuronale? Tutti interrogativi che permettono di eludere la questione.

"Se ciò che scrive della sua somaraggine è vero," mi si potrebbe obiettare, "questa metamorfosi è un autentico mistero!"

Da non crederci, in effetti. Ed è peraltro il destino del somaro: nessuno gli crede mai. Durante la sua somaraggine viene accusato di camuffare una colpevole pigrizia con comodi lamenti: "Finiscila di raccontare storie e studia!". E quando la sua posizione sociale attesta che se l'è cavata, viene sospettato di volersene fare un vanto: "Lei, un ex somaro? Ma figuriamoci, è solo una posa!"". Il fatto è che il cappello d'asino si porta più facilmente a posteriori. È addirittura un'onorificenza che in società ci si attribuisce spesso. Ti permette di distinguerti da coloro il cui unico merito è stato quello di seguire i sentieri tracciati del sapere. Il gotha pullula di ex somari eroici. Li senti, quei furbacchioni, nei salotti, alla radio, presentare le loro disavventure scolastiche come grandiose gesta di resistenza. Io credo a quelle parole solo se vi colgo la lieve eco di una sofferenza. Perché se anche possiamo guarire dalla somaraggine, le ferite che essa ci ha inflitto non rimarginano mai del tutto. Quell'infanzia non è stata divertente, e ricordarla non lo è di più. Impossibile andarne fieri. Come se l'ex asmatico fosse fiero di aver sentito mille volte che stava per morire soffocato! E tuttavia il somaro che se l'è cavata non vuole essere compatito, per nulla al mondo, vuole dimenticare, tutto qua, non pensare più a quella vergogna. E poi sa, dentro di sé, che avrebbe potuto benissimo non cavarsela. Dopo tutto, i somari irrimediabilmente perduti sono molto più numerosi. Ho sempre avuto la sensazione di essere uno scampato.

Insomma, che cosa è successo in me durante quei dieci anni?

Come ho fatto a cavarmela?

A mo' di premessa, una constatazione: adulti e bambini, si sa, non hanno la stessa percezione del tempo. Dieci anni non sono niente per l'adulto, che calcola in decenni la durata della propria esistenza. Passano così in fretta, dieci anni, quando ne hai cinquanta! Sensazione di rapidità che peraltro acutizza la preoccupazione delle madri per l'avvenire del proprio figlio. L'esame di maturità fra cinque anni, di già, ma è dietro l'angolo! Come farà il mio ragazzo a cambiare radicalmente in così poco tempo? Si dà il caso che per il ragazzo ognuno di quegli anni vale un millennio; per lui il futuro sta tutto nei pochi giorni a venire. Parlargli dell'avvenire significa chiedergli di misurare l'infinito con un decimetro. Se il verbo "diventare" lo paralizza, è soprattutto perché esprime la preoccupazione o la riprovazione degli adulti. L'avvenire sono io in peggio, ecco come interpretavo le parole dei miei professori quando mi dichiaravano che non sarei diventato niente. Ascoltandoli, non mi facevo alcuna rappresentazione del tempo, li credevo e basta: cretino per sempre, nient'altro mai, dove "sempre" e "mai" erano le uniche unità di misura che l'orgoglio ferito propone al somaro per sondare il tempo.

Il tempo... Non sapevo che avrei dovuto invecchiare per avere una percezione logaritmica del suo scorrere. (Ero peraltro del tutto ignorante in fatto di logaritmi, delle loro tavole, delle loro funzioni, delle loro scale e delle loro simpatiche curve...) Ma, diventato insegnante, seppi d'istinto che era inutile brandire il futuro sotto il naso dei miei allievi peggiori. A ogni giorno la sua pena, e a ogni ora di quella giornata, purché in essa si sia pienamente presenti, insieme.

E io, da bambino, in essa non c'ero. Mi bastava entrare in un'aula per uscirne. Mi sembrava che lo sguardo verticale del maestro fosse come uno di quei raggi venuti giù dai dischi volanti e mi strappasse dalla sedia per scagliarmi istantaneamente altrove. Dove? Esattamente nella sua testa! La testa del maestro! Era il laboratorio del disco volante. Il raggio mi posava lì. E lì veniva misurata tutta la mia nullità, dopodiché ero risputato fuori, con un altro sguardo, come un detrito, e rotolavo in una discarica dove non potevo capire né ciò che mi insegnavano, né peraltro cosa la scuola si aspettasse da me visto che ero ritenuto un incapace. Questo verdetto mi offriva le compensazioni della pigrizia: a che pro darsi da fare se le massime autorità reputano che non ci sia niente da fare? Come si vede, sviluppavo una certa propensione alla casistica. È una *forma mentis* che, da insegnante, individuavo subito nei miei somari.

Poi venne il mio primo salvatore.

Un professore di francese.

In prima superiore.

Che mi scoprì per quello che ero: un affabulatore sincero e allegramente suicida.

Colpito forse dalla mia propensione ad affinare scuse sempre più fantasiose per le lezioni non studiate o i compiti non fatti, decise di esonerarmi dai temi per commissionarmi un romanzo. Un romanzo che dovevo redigere nell'arco del trimestre, in ragione di un capitolo alla settimana. Soggetto libero, ma preghiera di consegnare i miei fascicoli senza errori di ortografia "per elevare il livello della critica". (Ricordo questa espressione mentre ho dimenticato tutto del romanzo.) Questo professore era un uomo molto anziano che ci dedicava gli ultimi anni della sua vita. Forse arrotondava la pensione in quell'istituto quanto mai privato della periferia nord di Parigi. Un vecchio signore di una eleganza desueta, che aveva individuato il *narratore* in me. Si era detto che, disortografia a parte, bisognava far leva sulla mia propensione al racconto se si voleva avere una qualche probabilità di aprirmi allo studio. Scrissi quel romanzo con entusiasmo. Ne correggevo scrupolosamente ogni parola aiutandomi con il dizionario (che, da quel giorno, non mi ha più lasciato), e consegnavo i miei capitoli con la puntualità di un autore professionista di romanzi d'appendice. Immagino che fosse una storia tristissima, influenzato com'ero allora da Thomas Hardy, i cui romanzi vanno da un malinteso a una catastrofe e da una catastrofe a un tragedia irreparabile, cosa che deliziava il mio gusto per il *fatum*: niente da fare sin dall'inizio, è quel che penso anch'io.

Non credo di aver fatto significativi progressi in alcunché, quell'anno, ma per la prima volta nella mia carriera scolastica un insegnante mi conferiva uno status; esistevo scolasticamente per qualcuno, come un individuo che aveva una linea da seguire, e che teneva duro. Sconfinata gratitudine per il mio benefattore, ovviamente, e benché fosse molto riservato, l'anziano signore divenne il confidente delle mie letture segrete.

"Allora, che cosa sta leggendo, Pennacchioni, in questo momento?"

Poiché c'era la lettura.

Non sapevo, allora, che mi avrebbe salvato.

All'epoca leggere non era l'assurda prodezza di oggi. Considerata una perdita di tempo, ritenuta dannosa per il rendimento scolastico, la lettura dei romanzi ci era proibita durante le ore di studio. Da ciò la mia vocazione di lettore clandestino: romanzi ricoperti come libri di scuola, nascosti ovunque si potesse, letture notturne alla luce di una pila, esoneri da ginnastica, tutto andava bene purché potessi ritrovarmi solo con un libro. È stato il collegio a darmi questo piacere. Lì avevo bisogno di un mondo soltanto mio e fu quello dei libri. Nella mia famiglia avevo soprattutto guardato gli altri leggere: mio padre che fumava la pipa nella sua poltrona, sotto il cono di luce di una lampada, passandosi distrattamente l'anulare nella riga impeccabile dei capelli, con un libro aperto sulle ginocchia accavallate; Bernard, in camera nostra, steso sul fianco, ginocchia piegate, la mano destra a reggergli la testa... C'era del benessere, in quelle posture. In fondo, è stata la fisiologia del lettore a spingermi a leggere. Forse all'inizio ho letto solo per poter riprodurre quelle pose ed esplorarne altre. Leggendo, mi sono fisicamente collocato in una felicità che dura ancora. Cosa leggevo? Le fiabe di Andersen, causa identificazione con il *Brutto anatroccolo*, ma anche Alexandre Dumas, per il movimento delle spade, dei cavalli e degli animi. E Selma Lagerlöf, il magnifico *La saga di Gösta Berling*, storia di uno splendido pastore alcolizzato, bandito dal suo vescovo, di cui fui l'instancabile compagno di avventure insieme agli altri cavalieri di Ekeby; *Guerra e pace*, regalatomi da Bernard credo per il mio ingresso in terza media, la storia d'amore tra Nataša e il principe Andrej alla prima lettura – il che riduceva il romanzo a un centinaio di pagine; l'epopea napoleonica alla seconda lettura in prima superiore: Austerlitz, Borodino, l'incendio di Mosca, la ritirata di Russia (avevo disegnato un immenso affresco della battaglia di Austerlitz in cui gli omini della mia calligrafia clandestina si massacravano a vicenda), due o trecento pagine di "meglio". Nuova lettura in seconda superiore, per l'amicizia con Pierre Bezuchov (un altro brutto anatroccolo, ma che capiva più cose di quante si credesse), e infine, all'ultimo anno delle superiori, l'intero romanzo, per la Russia, per il personaggio di Kutuzov, per Clausewitz, per la riforma agraria, per Tolstoj. C'era Dickens, naturalmente – Oliver Twist aveva bisogno di me –, Emily Brontë, il cui morale mi chiedeva aiuto, Stevenson, Jack London, Oscar Wilde, e le prime letture di Dostoevskij, *Il giocatore*, ovviamente (con Dostoevskij, chissà perché, si comincia sempre dal *Giocatore*). Così procedevano le mie letture, secondo ciò che trovavo nella biblioteca di casa, e *Tintin*, certo, e *Spirou*, e la collana per ragazzi "Signes de piste" o i fumetti di *Bob Morane* che furoreggiavano all'epoca. La prima qualità dei romanzi che mi portavo a scuola alle medie era di non essere nel programma. Nessuno mi interrogava. Nessuno sguardo leggeva quelle righe al di sopra della mia spalla; io e i loro autori ce ne stavamo tra di noi. Non sapevo, leggendoli, che mi istruivo, che quei libri avrebbero risvegliato in me una fame che sarebbe sopravvissuta persino al loro oblio. Queste letture di giovinezza si conclusero con quattro porte aperte sui segni del mondo, quattro libri diversissimi fra loro ma che intrecciarono in me, per ragioni che mi rimangono in parte oscure, stretti legami di parentela: *Le relazioni pericolose*, *A ritroso*, *Miti d'oggi* di Roland Barthes e *Le cose* di Perec.

Non ero un lettore raffinato. Non dispiaccia a Flaubert, ma a quindici anni leggevo come Emma Bovary, per la sola soddisfazione delle mie sensazioni, le quali, fortunatamente, si rivelarono insaziabili. Non traevo alcun beneficio scolastico immediato da queste letture. Contrariamente a tutti i luoghi comuni, quelle migliaia di pagine divorate – e ben presto dimenticate – non migliorarono la mia ortografia, ancora oggi incerta, il che spiega l'onnipresenza dei miei dizionari. No, ciò che ebbe provvisoriamente la meglio sui miei errori (ma questa provvisorietà rendeva la cosa definitivamente possibile) fu il romanzo commissionato da quel professore che si rifiutava di abbassare la propria lettura a considerazioni di carattere ortografico. Io gli *dovevo* un manoscritto senza errori. Insomma, un genio dell'insegnamento. Per me solo, forse, e forse in questa sola circostanza, ma un genio!

Ho incrociato altri tre geni, fra la prima e la seconda superiore, altri tre salvatori di cui parlerò più avanti: un professore di matematica, che *era* la matematica, una strepitosa professoressa di storia che praticava come nessun altro l'arte dell'incarnazione storica, e un professore di filosofia tanto più stupito oggi dalla mia ammirazione in quanto lui stesso non serba alcun ricordo di me (me l'ha scritto), il che lo rende ancora più grande ai miei occhi poiché mi svegliò la mente senza che io dovessi nulla alla sua stima ma tutto alla sua arte. Questi quattro maestri mi hanno salvato da me stesso. Sono arrivati troppo tardi? Li avrei seguiti altrettanto bene se fossero stati miei insegnanti alle elementari? Serberei un ricordo migliore della mia infanzia? Comunque sia, sono stati i miei fortunati imprevisti. Non so se per altri compagni furono la rivelazione che sono stati per me. È un dubbio legittimo, visto il peso che ha il temperamento in pedagogia. Quando mi capita di incontrare un ex allievo che si dichiara felice delle ore passate nella mia classe, mi dico che nello stesso momento, su un altro marciapiede, forse passeggia quello per il quale ero il guastafeste di turno.

Un altro elemento della mia metamorfosi fu l'irruzione dell'amore nella mia presunta indegnità. L'amore! Assolutamente inimmaginabile per l'adolescente che credevo di essere. Eppure la statistica suggeriva la sua comparsa probabile, se non certa. (Ma no, figuriamoci, suscitare amore, io? E in chi?) Si presentò per la prima volta sotto forma di un toccante incontro estivo, si espresse perlopiù attraverso un'abbondante corrispondenza, e si concluse con una rottura consenziente in nome della nostra giovinezza e della distanza geografica che ci separava. L'estate successiva, con il cuore infranto dalla fine di quella passione semiplatonica, mi arruolai come mozzo su una nave da carico, una delle ultime Liberty ship in servizio sull'Atlantico, e gettai in mare un pacco di lettere da far ridere gli squali. Dovetti aspettare due anni perché un altro amore diventasse il primo, per l'importanza che in questo ambito gli atti conferiscono alla parola. Un altro genere di incarnazione che rivoluzionò la mia vita e sancì la condanna a morte della mia somaraggine. Una donna mi amava! Per la prima volta in vita mia, il mio nome riecheggiava alle mie orecchie! Una donna mi chiamava per nome! Esistevo agli occhi di una donna, nel suo cuore, tra le sue mani, e già nei suoi ricordi, come mi dimostrava il suo primo sguardo dell'indomani! Scelto fra tutti gli altri!! Io! Preferito! Io! Da lei! (Matricola di una grande università, oltre tutto, mentre io ripetevo l'ultimo anno delle superiori!) Le mie ultime dighe saltarono: tutti i libri letti nottetempo, quelle migliaia di pagine perlopiù cancellate dalla mia memoria, quelle conoscenze stipate all'insaputa di tutti e di me stesso, sepolte sotto strati e strati di oblio, di rinuncia e di autodenigrazione, quel magma di parole ribollente di idee, di sentimenti, di saperi di ogni genere fece di colpo saltare la crosta di infamia e zampillò nel mio cervello che divenne simile a un firmamento infinitamente stellato! Insomma, una figata, come dicono i beati di oggi! Amavo ed ero amato! Come poteva, tutto quell'ardore impaziente, suscitare tanta calma e tanta sicurezza? Di colpo qualcuno aveva fiducia in me! E io avevo fiducia in me stesso! Durante gli anni in cui durò questa felicità, smisi di fare l'idiota. Sì, ce la misi tutta. Dopo la maturità liquidai in quattro e quattr'otto una laurea, la stesura del mio primo romanzo, quaderni interi di aforismi che chiamavo serissimamente le mie *Laconiche*, e la produzione di innumerevoli testi alcuni dei quali destinati alle matricole amiche della mia amica che mi chiedevano lumi su questo o quel punto di storia, di letteratura, o di filosofia. Già che c'ero, mi ero anche concesso il lusso di un anno di corso preparatorio a una grande università che abbandonai strada facendo per dedicarmi a quel famoso primo romanzo. Dar libero corso alla mia vena, volare con le mie ali, nel mio cielo! Non desideravo altro. E che la mia amica continuasse ad amarmi.

Alla battuta di mio padre sulla rivoluzione necessaria alla mia laurea e sul rischio di un conflitto planetario se tentavo il dottorato ho riso di buon cuore e ho ribattuto che no, niente affatto, non la rivoluzione, papà, l'amore, per la miseria! L'amore da tre anni! La rivoluzione l'abbiamo fatta a letto, io e lei! Quanto al dottorato, niente dottorato, non mi piacciono i giochi d'azzardo! Né il concorso per insegnare alle superiori! Ho già perso abbastanza tempo. Una laurea e basta: il minimo vitale dell'insegnante. Un professorino, papà. Nelle scuolette. Se è necessario. Ritorno sul luogo del delitto. A occuparmi dei ragazzini che sono caduti nella discarica di Gibuti. A occuparmi di loro con il ricordo netto di ciò che fui. Per il resto, la letteratura! Il romanzo! L'insegnamento e il romanzo! Leggere, scrivere, insegnare!

Il mio risveglio deve anche molto alla tenacia di quel padre solo apparentemente lontano. Mai scoraggiato dal mio scoraggiamento, ha saputo resistere a tutti i miei tentativi di fuga: quella supplica veemente, per esempio, a quattordici anni, perché mi facesse entrare alla scuola militare. Ne abbiamo riso molto vent'anni dopo, quando, liberatomi dalla naja, gli ho fatto leggere il giudizio scritto sul mio libretto militare. *Grado successivo: soldato comune di seconda classe.*

"Successivamente, soldato comune di seconda classe, allora? È proprio come pensavo: inadatto all'obbedienza e nessuna propensione al comando."

Ci fu anche quel vecchio amico, Jean Rolin, professore di filosofia, padre di Nicolas, di Jeanne e di Jean-Paul, miei amici durante l'adolescenza. Ogni volta che venivo bocciato alla maturità mi invitava in un ottimo ristorante per convincermi una volta di più che ognuno ha il proprio ritmo, e che il mio era semplicemente un caso di fioritura tardiva. Jean, mio caro Jean, che queste pagine – anch'esse così tardive – ti facciano sorridere, nel paradiso dei filosofi.

21.

Insomma, diventiamo.

Ma non cambiamo granché. Ci arrangiamo con quello che siamo.

Ed ecco che alla fine di questa seconda parte sono assalito dai dubbi. Dubbi sulla necessità di questo libro, dubbi sulle mie capacità di scrivere, dubbi su me stesso, semplicemente, dubbi che ben presto produrranno considerazioni ironiche sulla totalità del mio lavoro, o addirittura sulla mia intera vita... Proliferazione di dubbi... Queste crisi sono frequenti. Benché siano un'eredità della mia somaraggine, non riesco ad abituarmici. Quando siamo in preda ai dubbi è sempre la prima volta e io ho il dubbio devastante. Mi spinge verso la mia china naturale. Resisto, ma giorno dopo giorno torno a essere il cattivo studente che tento di descrivere. I sintomi sono rigorosamente gli stessi dei miei tredici anni: testa fra le nuvole, procrastinazione, dispersione, ipocondria, nervosismo, dilettazione morosa, sbalzi d'umore, lamenti e, per finire, paralisi davanti allo schermo del computer, come un tempo di fronte all'esercizio da fare, all'interrogazione da preparare... Eccomi qua, ridacchia il somaro che fui.

Alzo gli occhi. Il mio sguardo vaga sul Vercors sud. Non una casa all'orizzonte. Né una strada. Né un individuo. Campi pietrosi bordati da montagne rase dove qua e là spuntano boschetti di faggi come silenziosi pennacchi. Su tutto questo vuoto si apre minaccioso un cielo immenso. Dio come mi piace questo paesaggio! In fondo, una delle mie grandi gioie è stata concedermi questo esilio che da bambino imploravo ai miei genitori... Questo orizzonte all'interno del quale nessuno deve rendere conto a nessuno. (Tranne quel coniglietto a quella poiana, lassù, che ha delle mire su di lui...) Nel deserto il tentatore non è il diavolo, è il deserto stesso: tentazione naturale di tutti gli abbandoni.

Vabbè, adesso basta,
dacci un taglio,
rimettiti a lavorare.

22.

E ci rimettiamo al lavoro. Riga dopo riga continuiamo a diventare, con questo libro che si fa.

Diventiamo.

Gli uni dopo gli altri, diventiamo.

Le cose non vanno quasi mai come previsto, ma una cosa è certa: noi diventiamo.

La settimana scorsa, mentre uscivo da un cinema, una bambina, nove o dieci anni, mi insegue per strada e mi raggiunge, con il fiatone:

"Signore, signore!".

Che c'è? Avrò dimenticato l'ombrello al cinema? Tutta sorridente, la bambina indica un tizio che ci guarda, dall'altro lato della via.

"È mio nonno!"

Il nonno accenna un saluto un po' imbarazzato.

"Non ha il coraggio di salutarla, ma lei è stato suo insegnante."

"..."

Porco cane, suo nonno! Sono stato l'insegnante di suo nonno!

Eh sì, diventiamo.

...

Lasci una ragazzina in terza media, scarsa, ma scarsa, ma scarsa, per sua ammissione ("Mamma mia, se ero scarsa!") e vent'anni dopo una giovane donna si rivolge a te in una via di Ajaccio, raggiante, seduta al tavolino di un caffè.

"Professore, *Non tocchi la spalla del cavaliere che passa!*"
Ti fermi, ti volti, la giovane donna ti sorride, le reciti il seguito de *L'allée*, la poesia di Supervielle che a quanto pare conoscete entrambi:

> Si volterebbe,
> E sarebbe notte,
> Una notte senza stelle
> Né curve né nubi.

Scoppia a ridere, domanda:

> "Che ne sarebbe allora
> Di tutto ciò che fa il cielo
> La luna e il suo passaggio,
> E il rumore del sole?".

E tu rispondi alla bambina riapparsa nel sorriso della donna, la bambina ribelle cui un tempo avevi insegnato questa poesia:

> "Dovreste aspettare
> che un altro cavaliere
> forte come il primo
> acconsentisse a passare".

A Parigi chiacchiero con amici in un caffè. A un tavolo vicino un uomo mi indica col dito guardandomi fisso. Alzo gli occhi e con un cenno della fronte gli domando che cosa vuole da me. Al che lui mi chiama con un nome diverso dal mio:
"Don Segundo Sombra!".
Così facendo, mi fa fare un salto vertiginoso nel tempo.
"Te, ti ho avuto nel 1982! In seconda media."
"Esatto. E quell'anno ci ha letto *Don Segundo Sombra*, un romanzo argentino, di Ricardo Guiraldes."
Non ricordo mai i nomi degli allievi che incontro, né del resto le loro facce, ma sin dai primi versi, dai primi titoli di romanzi citati, dalle prime allusioni a una lezione in partico-

lare, qualcosa si ricompone dell'adolescente che non voleva leggere o della ragazzina che sosteneva di non capire niente: mi tornano alla mente altrettanto familiari dei versi di Supervielle o del nome di Segundo Sombra i quali, invece, vai a sapere perché, non hanno subìto l'erosione del tempo. Loro sono nello stesso tempo la ragazzina spaurita e la giovane donna che detta la moda della sua generazione, il ragazzo distratto e il comandante di bordo che inserisce il pilota automatico per immergersi in un libro sopra gli oceani.

A ogni incontro ti accorgi che una vita è sbocciata, imprevedibile come la forma di una nuvola.

E non crediate che questi destini debbano qualcosa alla vostra influenza di insegnante! Guardo l'ora sull'orologio da taschino che mia moglie Minne mi ha regalato tanto tempo fa a un compleanno e che non mi lascia mai. Questo tipo di orologio a doppia cassa si chiama saponetta. Dunque consulto la mia saponetta ed ecco che scivolo quindici anni indietro, liceo H., aula F, dove faccio assistenza durante uno scritto su cui sgobba in un silenzio pieno di avvenire una sessantina di allievi del penultimo e dell'ultimo anno. Tutti fanno a gara a chi scrive di più, tranne Emmanuel, alla mia destra, vicino alla finestra, a tre o quattro file dalla cattedra. Naso per aria, foglio bianco, Emmanuel. I nostri sguardi si incrociano. Il mio si fa esplicito: allora, che storia è questa? Compito in bianco? Ti ci vuoi mettere sì o no? Emmanuel mi fa cenno di avvicinarmi. L'ho avuto come allievo due anni prima. Sveglio, furbo, lavativo, fantasioso, simpatico e determinato. E, al momento, foglio spudoratamente bianco. Accetto di avvicinarmi, giusto per dargli una mossa, ma interrompe subito il mio tentativo di ramanzina buttando lì con un sospiro perentorio:

"Che rottura di palle, prof!".

Cosa bisogna fare di un allievo del genere? Sopprimerlo all'istante? Nell'attesa, e benché non sia il momento, chiedo: "E si può sapere che cosa ti interessa?".

"Questo."

Risponde lui restituendomi l'orologio saponetta che mi ha fregato senza che me ne accorgessi.

"E questo, aggiunge restituendomi la mia penna."

"Borseggiatore? Vuoi diventare borseggiatore?"

"Prestigiatore, prof."

E prestigiatore diventò, vi assicuro, e pure famoso, senza che io avessi alcun merito.

Sì, a volte alcuni progetti si realizzano, delle vocazioni si compiono, il futuro onora i propri impegni. Un amico mi assicura che mi aspetta una sorpresa nel ristorante dove mi ha invitato. Ci vado. La sorpresa è considerevole. È Rémi, lo chef del locale. Impressionante, dall'alto del suo metro e ottanta e sotto il suo bianco cappello da cuoco! Sulle prime non lo riconosco, ma mi rinfresca la memoria mettendomi davanti agli occhi un compito scritto da lui e corretto da me venticinque anni prima. Voto: 6. Titolo: *Fai il tuo ritratto a quarant'anni*. E l'uomo di quarant'anni che se ne sta in piedi di fronte a me, sorridendo un po' intimidito dall'apparizione del suo vecchio professore, è esattamente quello che il ragazzo descriveva nel suo compito: lo chef di un ristorante le cui cucine paragonava alla sala macchine di un transatlantico. L'insegnante aveva apprezzato, in rosso, e aveva espresso l'auspicio di sedersi un giorno al tavolo di quel ristorante...

È il genere di situazione in cui non ti penti di essere diventato il professore che ormai non sei più.

Diventiamo, diventiamo, tutti quanti noi, e ogni tanto fra diventati ci incontriamo. Isabelle, la settimana scorsa. Incontrata in un teatro, straordinariamente simile nei suoi quasi quarant'anni alla ragazzina di sedici che fu mia allieva in seconda liceo... Era finita nella mia classe dopo la seconda bocciatura ("La mia seconda bocciatura in tre anni, mica uno scherzo!"). Ortofonista adesso, dal sorriso saggio.

Come gli altri, mi chiede:

"Si ricorda di Tizio? E di Caio? E di quell'altro?".

Ahimè, allievi miei, la mia stramaledetta memoria si rifiuta sempre di archiviare i nomi propri. Le loro maiuscole continuano a fare muro. Mi bastavano le vacanze estive per dimenticare la maggior parte dei vostri cognomi, quindi figuratevi dopo tutti questi anni! Una specie di sifonamento costante ripulisce il mio cervello che elimina, insieme ai vostri, i nomi degli autori che leggo, i titoli dei loro libri o dei film che vedo, le città che attraverso, gli itinerari che seguo, i vini che bevo... Il che non significa che voi precipitiate nell'oblio! Mi basta solo rivedervi per cinque minuti e il musetto fiducioso di Rémi, la risata sonora di Nadia, l'astuzia di Emmanuel, la gentilezza pensosa di Christian, la vivacità di Axelle, l'inossidabile buonumore di Arthur risuscitano l'allievo nell'uomo o nella donna che incontrandomi mi danno la gioia di riconoscere il loro insegnante. Oggi posso confessarvelo, la vostra memoria è sempre stata più veloce e più affidabile della mia, anche all'epoca in cui ogni settimana imparavamo un testo che dovevamo poterci saper recitare a vicenda in qualsiasi momento dell'anno. In media, una trentina di testi di ogni genere, di cui Isabelle dichiara orgogliosamente:

"Non ne ho dimenticato neanche uno, professore!".

"Immagino che avessi i tuoi preferiti..."

"Sì, per esempio questo, riguardo al quale lei aveva precisato che saremmo stati maturi per capirlo entro una sessantina d'anni."

E mi recita il testo in questione che, in effetti, casca a proposito per il capitolo del diventare:

Mio nonno soleva dire: "La vita è incredibilmente breve. Oggi, nel ricordo, mi si accorcia a tal punto che a malapena, per esempio, riesco a concepire come un giovanotto possa decidersi di recarsi a cavallo fino al villaggio vicino senza il timore che, a prescindere da accidenti sfortunati, il tempo stesso di una vita normale e serenamente vissuta sia di gran lunga inadeguato a tal viaggio".

In un accenno di inchino Isabelle butta lì il nome dell'autore: Franz Kafka. E precisa:

"Nella traduzione francese di Vialatte, la sua preferita".

III

CI
o il presente d'incarnazione

Non ci arriverò mai.

1

"Non ci arriverò mai, prof."

"Come dici?"

"Non ci arriverò mai!"

"Dove vuoi andare?"

"Da nessuna parte! Non voglio andare da nessuna parte!"

"Allora perché hai paura di non arrivarci?"

"Non voglio dire questo!"

"Che cosa vuoi dire?"

"Che non ci arriverò mai, punto e basta!"

"Scrivilo alla lavagna: Non ci arriverò mai."

Non ciariverò mai.

"Hai sbagliato verbo. Non è il verbo *ciarivare*. E 'arriverò' ha due erre. Correggi."

Non ci arriverò mai.

"Bene. Cos'è questo 'ci' secondo te?"

"Non lo so."

"Che cosa vuol dire?"

"Non lo so."

"Be', bisogna assolutamente scoprire che cosa vuol dire, perché è lui che ti fa paura, quel 'ci'."

"Io non ho paura."

"Non hai paura?"

"No."

"Non hai paura di non arrivarci?"

"No, me ne strabatto."

"Prego?"

"Me ne infischio, insomma, non me ne frega niente."

"Non ti frega niente di non arrivarci?"

"Non me ne frega niente, punto e basta."

"E questo, lo puoi scrivere alla lavagna?"

"Cosa, non me ne frega niente?"

"Sì."

Non mene frega niente.

"*Me* staccato da *ne*."

Non me ne frega niente.

"Va bene, e questo 'ne', per l'appunto, che cos'è questo 'ne'?"

"..."

"Questo 'ne' che cos'è?"

"Non lo so io... È tutto quanto!"

"Tutto quanto cosa?"

"Tutto quello che mi stressa!"

2.

Sin dalle prime ore di lezione, quell'anno, i miei allievi e io avevamo affrontato quel "ci", quel "ne", quel "tutto". Attraverso di loro abbiamo dato il via all'assalto del bastione grammaticale. Se volevamo calarci appieno nell'indicativo presente della nostra lezione, dovevamo sistemare per le feste quei misteriosi agenti di disincarnazione. Priorità assoluta! Abbiamo perciò dato la caccia ai pronomi vaghi. Quelle parole enigmatiche erano come tanti ascessi da spurgare.

Prima di tutto "ci". Abbiamo cominciato dal famoso "ci" cui non si arriva mai. Tralasciamo la definizione di pronome con funzione avverbiale e/o dimostrativa che suona come ostrogoto all'orecchio dello studente che la sente per la prima volta, apriamogli la pancia, estirpiamone tutti i significati possibili, gli appiccicheremo la sua etichetta grammaticale quando lo avremo ricucito, dopo aver rimesso a posto le viscere debitamente classificate. I grammatici gli attribuiscono un valore impreciso. Ebbene, noi precisiamo, e dai che precisiamo!

Quell'anno nella fattispecie per quel ragazzino che sbraitava sparando parolacce come se mostrasse i muscoli, "ci" era il ricordo bruciante di un esercizio di matematica contro cui si era appena scontrato invano. L'esercizio aveva scatenato la crisi: lancio della penna, quaderno sbattuto (tanto non *ci* capisco niente, me *ne* strabatto, mi stressa *tutto* ecc.), allievo cacciato fuori e altra crisi nell'ora seguente, la mia, di francese, dove si scontrava con un'altra difficoltà, questa volta grammaticale, ma che gli restituiva brutalmente il ricordo della precedente...

"Non ci arriverò mai, gliel'ho detto. La scuola non è fatta per me, prof!"

(Dibattito nazionale, mio caro ragazzo, e ben presto secolare. Sapere se la scuola è fatta per te o se tu sei fatto per la scuola: non hai idea di quanto ci si scanni, al riguardo, nell'olimpo educativo.)

"Tre anni fa immaginavi che un giorno saresti stato in terza media?"

"Mica tanto, direi di no. E poi in quinta elementare volevano che ripetessi l'anno."

"Be', invece *ci* sei, in terza media, *ci* sei arrivato."

(Per anzianità, magari, in pessimo stato, te lo concedo, più o meno di buon grado, sono fatti tuoi, più o meno a giusto titolo, in alto luogo se ne può discutere, ma *ci* sei comunque arrivato, su questo *ci* siamo, e noi con te, e adesso che *ci* siamo, *ci* passeremo l'anno, *ci* lavoreremo su, *ne* approfitteremo per risolvere alcuni problemi, a cominciare dai più urgenti di tutti: la paura di non arrivar*ci*, la tentazione di strabatterte*ne*, e questa mania di ficcare tutto in un unico *tutto*. Un sacco di persone, in questa città, pensa che non *ci* arriverà mai, e crede di strabattersene... Ma non se *ne* strabattono affatto; si comprimono, si reprimono, si deprimono, urlano, sbraitano, giocano a mettere paura, ma se c'è una cosa di cui non si strabattono è proprio quel "ci" e quel "ne" che gli rovinano la vita, e quel "tutto" che li stressa.)

"Tanto tutto questo non serve a niente!"

"Va bene, ci occuperemo anche di 'questo' e del 'niente'. E del verbo 'servire', già che ci siamo. Perché comincia a darmi sui nervi, il verbo 'servire'! Non serve a niente, non serve a niente, e adesso sulla tua bocca a cosa serve, il verbo 'servire'? È ora di chiederglielo."

Quell'anno, dunque, abbiamo aperto la pancia al "ci", al "ne", al "questo", al "tutto" e al "niente". Ogni volta che facevano irruzione in classe, noi partivamo alla ricerca di ciò che ci nascondevano queste parole così deprimenti. Abbiamo svuotato gli otri infinitamente estensibili di tutto ciò che zavorra la barca dello studente alla deriva, li abbiamo svuotati come chi aggotta un canotto in procinto di colare a picco, e abbiamo esaminato da vicino il contenuto di ciò che gettavamo a mare:

"Ci": l'esercizio di matematica, innanzitutto, che aveva dato fuoco alle polveri.

"Ci": quello di grammatica, poi, che aveva riattizzato l'incendio. ("La grammatica mi stressa ancora più della matematica, prof!")

E così di seguito: "ci" era la lingua inglese che non si faceva capire, la tecnologia che lo stressava come il resto (dieci anni dopo l'avrebbe *fatto sclerare* e altri dieci anni dopo l'avrebbe trovata *pesissima*), "ci" erano i risultati che tutti gli adulti si aspettavano inutilmente da lui, "ci" era insomma il suo rapporto con la scuola.

Da ciò l'apparizione del "ne", di infischiarse*ne* (fregarsene, strabattersene, fottersene giusto per testare la resistenza delle orecchie docenti. Ancora una ventina d'anni e "rimbalzarsene" sarebbe venuto ad aggiungersi alla lista).

"Ne" era la constatazione quotidiana del suo fallimento.

"Ne" era l'opinione che gli adulti hanno di lui.

"Ne" era il senso di umiliazione che lui preferisce trasformare in odio per i professori e in disprezzo per i compagni bravi...

Da ciò il rifiuto di cercare di capire il gigantesco "questo" che non serve a "niente", il desiderio costante di essere altrove, di fare altro, un altrove qualsiasi e qualsiasi altra cosa.

La scrupolosa vivisezione di quel "ne" rivelò agli studenti l'immagine che avevano di loro stessi: degli incapaci smarriti in un universo assurdo, che preferivano sbattersene visto che lì non vedevano per sé alcun avvenire.

"Nemmeno in sogno, professore!"

No future.

"Ci" o l'avvenire inaccessibile.

Solo che, a non prevedere per sé alcun futuro, non ci si colloca neppure nel presente. Sei seduto sulla tua sedia ma altrove, prigioniero del limbo del lamento, un tempo che non passa, una sorta di pena perpetua, un senso di tortura che faresti pagare a chiunque, e a caro prezzo.

Da ciò la mia decisione di insegnante: usare l'analisi grammaticale per riportarli qui e ora, per provar*ci* con il piacere particolarissimo di capire a cosa serve un pronome con funzione avverbiale, una parola fondamentale che usiamo mille volte al giorno senza pensar*ci*. Del tutto inutile, di fronte a questo studente pieno di rabbia, perdersi in finezze morali o psicologiche, non è il momento per discutere, siamo all'emergenza.

Una volta che "ci" e "ne" sono stati svuotati e ripuliti, li abbiamo debitamente etichettati. Due pronomi ma anche avverbi assai comodi per imbrogliare le carte in una conversazione spinosa. Li abbiamo paragonati a cantine del linguaggio, quei pronomi, a soffitte inaccessibili, a una valigia che non si apre mai, a un pacco dimenticato in un deposito bagagli di cui avessimo perso la chiave.

"Un nascondiglio, professore, un nascondiglio pazzesco!"

Non così buono, nel caso specifico. Credi di nasconderti ci dentro e invece il nascondiglio ti digerisce. "Ci" e "ne" ci inghiottono e non sappiamo più chi siamo.

3.

Il mal di grammatica si cura con la grammatica, gli errori di ortografia con l'esercizio dell'ortografia, la paura di leggere con la lettura, quella di non capire con l'immersione nel testo, e l'abitudine a non riflettere con il pacato sostegno di una ragione strettamente limitata all'oggetto che ci riguarda, qui e ora, in questa classe, durante quest'ora di lezione, fintanto che *ci* siamo.

Ho maturato questa convinzione dalla mia personale esperienza scolastica. Mi hanno fatto tante volte la morale, spessissimo hanno tentato di farmi ragionare, e in maniera benevola, poiché fra gli insegnanti non mancano le persone gentili. Per esempio il direttore del collegio dove ero finito dopo la mia rapina domestica. Era un ex ufficiale di marina, rotto alla pazienza degli oceani, padre di famiglia e marito premuroso di una moglie che si diceva fosse affetta da un male misterioso. Un uomo molto preso dai suoi e dalla direzione di quel convitto dove i casi come il mio non mancavano certo. Eppure quante ore ha speso a convincermi che non ero l'idiota che sostenevo di essere, che i miei sogni di esilio africano erano tentativi di fuga, e che bastava che mi impegnassi seriamente, anziché lagnarmi, per far emergere le mie capacità! Pensavo che fosse proprio buono a interessarsi a me, con tutte le preoccupazioni che aveva, e promettevo di reagire, sì, sì, da subito. Solo che appena mi ritrovavo nell'ora di matematica, o nello studio assistito chino su una lezione di scienze naturali, non restava più nulla della fiducia incrollabile che avevo tratto dal nostro colloquio. Il fatto è che non avevamo parlato di algebra, il direttore e io, né della fotosintesi, ma di volontà, di concentrazione, avevamo parlato di me, di un io assolutamente in grado di fare progressi, ne era convinto, se mi mettevo di impegno! Questo io, gonfio di improvvisa speranza, prometteva di applicarsi, di non raccontare più storie; ahimè, dieci minuti dopo, di fronte all'algebricità del linguaggio matematico, quell'io si sgonfiava come un palloncino, e durante lo studio non poteva che arrendersi dinnanzi all'inesplicabile predilezione delle piante per l'anidride carbonica mediante la strana clorofilla. Tornavo a essere il solito cretino che non *ci* avrebbe mai capito niente, per il semplice motivo che non *ci* aveva mai capito niente.

Da questa disavventura tante volte ripetuta ho tratto la convinzione di dover parlare agli studenti solo il linguaggio della materia che insegnavo loro. Paura della grammatica? Facciamo grammatica. Poca inclinazione per la letteratura? Leggiamo! Poiché, per quanto strano vi possa sembrare, o nostri allievi, voi siete impastati delle materie che vi insegniamo. Siete la materia stessa di tutte le nostre materie. Infelici a scuola? Forse. Scombussolati dalla vita? Alcuni, sì. Ma ai miei occhi siete fatti di parole, tutti quanti voi, intessuti di grammatica, tutti, pieni di discorsi, anche i più silenziosi o i meno attrezzati di vocabolario, abitati dalle vostre rappresentazioni del mondo, pieni di letteratura, insomma, ognuno di voi, ve lo assicuro.

4.

Inutilità degli interventi psicologici più benintenzionati. Ultimo anno delle superiori. Jocelyne è in lacrime, la lezione non può cominciare. Non c'è nulla di più stagno del magone per fare barriera al sapere. La risata la puoi spegnere con uno sguardo, ma le lacrime...

"Qualcuno ha una barzelletta a disposizione? Bisogna far ridere Jocelyne per poter cominciare. Spremetevi le meningi. Una barzelletta *molto* divertente. Vi do tre minuti, non di più; Montesquieu ci aspetta."

Arriva la barzelletta.

In effetti è divertente.

Tutti ridono, compresa Jocelyne, che invito a venirmi a parlare durante l'intervallo, se ne ha voglia.

"Fino a quel momento, pensi *solo* a Montesquieu."

Intervallo. Jocelyne mi spiega le sue pene. I suoi genitori non vanno più d'accordo. Litigano dalla mattina alla sera. Si dicono cose orribili. La vita in casa è un inferno, la situazione un disastro. Ecco, penso, altri due coniugi di lungo corso che ci hanno messo vent'anni a capire di essere male assortiti: c'è aria di separazione. Jocelyne, che non è tra quelli che vanno male, ha avuto un crollo in tutte le materie. E io mi ritrovo a condividere il suo magone. Forse sarebbe meglio, le dico cauto, se si separassero, sai, Jocelyne, insomma... due genitori separati, tranquilli, per te sarebbero più sopportabili di una coppia che si accanisce a distruggersi...

Ecc...

Jocelyne scoppia di nuovo in lacrime:

"Infatti, professore, avevano deciso di separarsi, ma ci hanno rinunciato!".

Ah!

Ecco.

Ecco, ecco, ecco.

Bene.

Le cose sono sempre più complicate di quanto creda lo psicologo improvvisato.

"..."

"..."

"Conosci Maisie Farange?"

"No, chi è?"

"È la figlia di Beale Farange e della moglie, di cui ho dimenticato il nome. Due separati celebri, alla loro epoca. Maisie era piccola quando si sono separati, ma non se n'è persa una briciola. Dovresti conoscerla. È un romanzo. Di un americano. Henry James. *Che cosa sapeva Maisie.*"

Romanzo peraltro complesso, che Jocelyne lesse nelle settimane seguenti, stimolata dal terreno stesso della battaglia coniugale. ("I miei si rinfacciano le stesse cose dei Farange, professore!")

Eh sì, per quanto vero sia il sangue che vi scorre, la guerra delle coppie e il magone dei figli sono anche letterari.

Detto questo, quando Montesquieu onora della sua presenza la nostra classe, si ha il dovere di essere presenti a Montesquieu.

5.

La loro presenza in classe... Mica facile, per quei ragazzi e quelle ragazze, fornire cinquantacinque minuti di concentrazione, in cinque o sei lezioni successive, secondo l'uso così particolare del tempo fatto dall'orario scolastico.

Che rompicapo, l'orario scolastico! Suddivisione delle classi, delle materie, delle ore, degli studenti, in funzione del numero di aule, della creazione di gruppi di interclasse, del numero di materie opzionali, della disponibilità dei laboratori, dei desiderata incompatibili del professore di questo e della professoressa di quello... D'altronde è vero che oggi la testa del preside è salvata dal computer, cui lui affida i suddetti parametri: "Mi spiace per il suo mercoledì pomeriggio, professoressa Taldeitali, è il computer...".

"Cinquantacinque minuti di francese," spiegavo ai miei allievi, "sono una bella ora con la sua nascita, il suo centro e la sua fine, una vita intera, insomma."

Sì, capirai, avrebbero potuto rispondermi, una vita di letteratura che sfocia in una vita di matematica, la quale dà su un'intera esistenza di storia, che ti scaglia senza motivo in un'altra vita, inglese questa volta, o tedesca, o chimica, o musicale... Vengono fuori un bel po' di reincarnazioni, in una sola giornata! E senza alcuna logica! Il vostro orario sembra *Alice nel paese delle meraviglie*: prendi il tè dalla lepre marzolina e in un balzo ti ritrovi a giocare a croquet con la regina di cuori. Una giornata passata nello shaker di Lewis Carroll, ma senza la sua fantasia, capirai che ginnastica! E in più si dà anche arie di rigore, un caos pazzesco tagliato come un giardino alla francese, un boschetto di cinquantacinque minuti alla volta. Solo la giornata di uno psicanalista o il salame del pizzicagnolo sono tagliati a fette così identiche. E, questo, tutte le settimane dell'anno! Il caso senza la sorpresa, è il colmo!

Verrebbe da rispondere: Piantatela di brontolare, cari studenti, e mettetevi nei nostri panni, il paragone che avete fatto con lo psicanalista non è sbagliato; tutti i giorni nel suo studio, poveretto, a vedere sfilare il dolore del mondo, e noi nelle nostre aule, a veder sfilare la sua ignoranza, a gruppi di trentacinque e a orari fissi, per tutta la vita, la quale – percezione logaritmica o meno – è molto più lunga della vostra troppo breve giovinezza, vedrete, vedrete...

Ma no, non bisogna mai chiedere a un allievo di mettersi nei panni di un insegnante, la tentazione della sghignazzata è troppo forte. Né proporgli mai di misurare il suo tempo con il nostro: la nostra ora non è affatto la sua, non evolviamo nella stessa durata. Quanto a parlargli di noi o di lui stesso, lasciamo perdere: fuori tema. Attenerci a ciò che abbiamo deciso: questa ora di grammatica deve essere una bolla nel tempo. Il mio lavoro consiste nel fare in modo che i miei allievi si sentano esistere *grammaticalmente* per cinquantacinque minuti.

Per riuscirci, non perdere di vista che le ore non sono tutte uguali: le ore della mattina non sono quelle del pomeriggio; le ore del risveglio, le ore digestive, quelle che precedono gli intervalli, quelle che li seguono, sono tutte diverse. E l'ora che segue la lezione di matematica non si presenta come quella che segue la lezione di ginnastica...

Tali differenze non incidono granché sull'attenzione degli studenti che vanno bene. Costoro godono di una facoltà benedetta: cambiare pelle a proprio piacimento, al momento giusto, al posto giusto, passare dall'adolescente agitato all'allievo attento, dall'innamorato respinto al cervellone matematico, dal giocatore al secchione, dall'altrove al qui, dal passato al presente, dalla matematica alla letteratura... È la velocità di incarnazione a distinguere coloro che vanno bene da coloro che hanno qualche difficoltà. Questi, come viene rimproverato loro dai professori, sono spesso altrove. Si liberano più faticosamente dell'ora precedente, cincischiano in un ricordo o si proiettano in un qualsiasi desiderio di altro. La loro sedia è un trampolino che li scaglia fuori dall'aula nell'istante stesso in cui vi si posano. A meno che non vi si addormentino. Se voglio sperare nella loro piena presenza, devo aiutarli a calarsi nella mia lezione. Come riuscirci? È qualcosa che si impara, soprattutto sul campo, col tempo. Una sola certezza, la presenza dei miei allievi dipende strettamente dalla mia: dal mio essere presente all'intera classe e a ogni individuo in particolare, dalla mia presenza alla mia materia, dalla mia presenza fisica, intellettuale e mentale, per i cinquantacinque minuti in cui durerà la mia lezione.

6.

Oh, che ricordo penoso, le lezioni in cui non c'ero! Come li sentivo fluttuare, in quei giorni, i miei allievi, andarsene tranquillamente alla deriva mentre io tentavo di radunare le forze. La sensazione di perdere la classe... Io non ci sono, loro non ci sono più, abbiamo mollato il colpo. Eppure il tempo passa. Io recito la parte di quello che tiene la lezione, loro fanno quelli che ascoltano. Più seria che mai, la nostra espressione comune, blabla da un lato, presa di appunti dall'altro, un ispettore ministeriale potrebbe essere soddisfatto; le apparenze sono salve... Ma io non ci sono, per la miseria, oggi non ci sono, sono altrove. Quello che dico non si incarna, loro se ne strabattono di ciò che sentono. Né domande né risposte. Mi ritiro dietro la lezione frontale. Quanta energia dilapido, allora, per fare attecchire questo ridicolo filo di sapere! Sono a mille miglia da Voltaire, da Rousseau, da Diderot, da questa classe, da questa scuola, da questa situazione, mi sforzo di ridurre la distanza ma non c'è verso, sono lontano tanto dalla mia materia quanto dalla mia classe. Non sono il professore, sono il guardiano del museo, guido meccanicamente una visita obbligatoria.

Quelle ore andate a monte mi lasciavano esausto. Uscivo dalla classe sfinito e furibondo. Un furore di cui i miei allievi rischiavano di fare le spese per tutta la giornata, poiché nessuno è più pronto a cazziarti di un professore insoddisfatto di se stesso. Attenti ragazzi, volate basso, il vostro prof si è dato un brutto voto, ne va di mezzo il primo che capita! Per non parlare della correzione dei compiti, stasera, a casa. Un ambito in cui la stanchezza e la coscienza sporca non sono buone consigliere! Ma no, niente compiti da correggere, stasera, e niente tivù, niente uscite, a letto! Il buon professore è quello che va a letto presto.

7.

È immediatamente percepibile, la presenza del professore calato appieno nella propria classe. Gli studenti la sentono sin dal primo minuto dell'anno, lo abbiamo sperimentato tutti: il professore è entrato, è assolutamente qui, si è visto dal suo modo di guardare, di salutare gli studenti, di sedersi, di prendere possesso della cattedra. Non si è disperso per timore delle loro reazioni, non si è chiuso in se stesso, no, è a suo agio, da subito, è presente, distingue ogni volto, la classe esiste subito davanti ai suoi occhi.

Questa presenza l'ho provata di nuovo, poco tempo fa, a Le Blanc-Mesnil, un comune della periferia parigina, invitato da una giovane collega che aveva fatto lavorare i suoi allievi su uno dei miei romanzi. Che mattinata ho passato, lì! Bombardato di domande da lettori che sembravano padroneggiare meglio di me la materia del mio libro, l'animo dei miei personaggi, che si esaltavano su alcuni brani e si divertivano a beccare i miei tic di scrittura... Mi aspettavo di rispondere a domande diligentemente formulate, sotto l'occhio di un'insegnante appena un po' in disparte, preoccupata solo del comportamento della classe, come mi capita spesso, e invece mi sono ritrovato nel vortice di una controversia letteraria dove gli studenti mi ponevano ben poche domande prevedibili. Quando l'entusiasmo trascinava le loro voci al di sopra del livello di decibel sopportabile, era l'insegnante stessa a farmi una domanda, due ottave sotto, e l'intera classe si conformava a quella linea melodica.

Più tardi, nel caffè dove pranzavamo, le ho chiesto come riuscisse a gestire tutta quell'energia vitale.

Dapprima è stata vaga:

"Non bisogna mai parlare più forte di loro, è questo il trucco".

Ma volevo saperne di più sulla sua capacità di gestire quegli studenti, sul loro piacere evidente di essere lì, sulla pertinenza delle loro domande, sulla serietà del loro ascolto, sul controllo del loro entusiasmo, su come sapessero dominarsi quando non erano d'accordo, sull'energia e l'allegria dell'insieme, insomma su tutto ciò che contrastava nettamente con la rappresentazione terrificante che i media diffondono delle scuole della *banlieue*.

Fece la somma delle mie domande, rifletté un po' e rispose:

"Quando sono con loro o alle prese con i loro compiti, non sono altrove".

Aggiunse:

"Ma quando sono altrove, non sono proprio più con loro".

Il suo altrove era, nella fattispecie, un quartetto d'archi che esigeva dal suo violoncello l'assoluto necessario alla musica. Del resto lei sosteneva vi fosse una correlazione tra una classe e un'orchestra.

"Ogni studente suona il suo strumento, non c'è niente da fare. La cosa difficile è conoscere bene i nostri musicisti e trovare l'armonia. Una buona classe non è un reggimento che marcia al passo, è un'orchestra che prova la stessa sinfonia. E se hai ereditato il piccolo triangolo che sa fare solo tin tin, o lo scacciapensieri che fa soltanto bloing bloing, la cosa importante è che lo facciano al momento giusto, il meglio possibile, che diventino un ottimo triangolo, un impeccabile scacciapensieri, e che siano fieri della qualità che il loro contributo conferisce all'insieme. Siccome il piacere dell'armonia li fa progredire tutti, alla fine anche il piccolo triangolo conoscerà la musica, forse non in maniera brillante come il primo violino, ma conoscerà la stessa musica."

Fece una smorfia fatalista:

"Il problema è che vogliono farci credere che nel mondo contino solo i primi violini".

Una pausa:

"E alcuni colleghi si credono dei Karajan che non sopportano di dover dirigere la banda del paese. Sognano tutti la Filarmonica di Berlino, è comprensibile...".

Poi, al momento di lasciarci, mentre io le ripetevo la mia ammirazione, rispose:

"C'è da dire che lei è venuto alle dieci. Erano svegli".

8.

C'è l'appello del mattino. Sentire il proprio nome pronunciato dalla voce del professore è un secondo risveglio. Il suono fatto dal tuo nome alle otto del mattino ha vibrazioni da diapason.

"Non posso decidermi a trascurare l'appello, soprattutto quello della prima ora," mi spiega un'altra professoressa – di matematica, questa volta –, "anche se sono di fretta. Recitare una lista di nomi come se si contassero le pecore è inammissibile. Io chiamo i miei ragazzi guardandoli, li accolgo, li *nomino* uno per uno, e ascolto la loro risposta. In fondo l'appello è l'unico momento della giornata in cui il professore ha l'occasione di rivolgersi a ciascuno dei suoi studenti, anche se solamente pronunciando il suo nome. Un breve istante in cui lo studente deve sentire di esistere ai miei occhi, lui e non un altro. Dal canto mio, cerco per quanto possibile di cogliere il suo umore dal suono che fa il suo 'presente'. Se la voce è incrinata, bisognerà eventualmente tenerne conto."

L'importanza dell'appello...

Io e i miei studenti facevamo un giochetto. Io dicevo il loro nome, loro rispondevano, e io ripetevo il loro "presente", a mezza voce, ma con lo stesso tono, come un'eco lontana:

"Manuel?".

"Presente."

"'Presente'. Laetitia?"

"Presente!"

"'Presente'. Victor?"

109

"Presente!"

"'Presente.' Carole?"

"Presente!"

"'Presente' Rémi?"

Imitavo il "Presente" trattenuto di Manuel, il "Presente" nitido di Laetitia, il "Presente" vigoroso di Victor, il "Presente" cristallino di Carole... Ero la loro eco mattutina. Alcuni si sforzavano di rendere la propria voce il più opaca possibile, altri si divertivano a cambiare intonazione per stupirmi, oppure rispondevano "Sì", o "Ci sono" o "Eccolo". Ripetevo sottovoce la risposta, quale che fosse, senza manifestare alcuna sorpresa. Era il nostro momento di connivenza, il saluto mattutino di una squadra che stava per mettersi al lavoro.

Il mio amico Pierre, invece, insegnante in una scuola media di Ivry, non fa mai l'appello.

"Diciamo che lo faccio due o tre volte all'inizio dell'anno, il tempo di conoscere i loro nomi e le loro facce. E poi passo subito alle cose serie."

I suoi allievi aspettano in fila, nel corridoio, davanti alla porta dell'aula. In tutta la scuola i ragazzi corrono, urlano, rovesciano sedie e banchi, invadono lo spazio, saturano il volume sonoro; Pierre, invece, aspetta che si mettano in fila, poi apre la porta, guarda ragazzi e ragazze entrare uno alla volta, e ogni tanto butta lì un "Buongiorno" quasi automatico, richiude la porta, si dirige a passi misurati verso la cattedra, gli studenti aspettano, in piedi dietro le sedie. Li prega di sedersi e comincia: "Bene, Karim, dove eravamo rimasti?". La sua lezione è una conversazione che riprende da dove si era interrotta.

Dalla serietà che mette nel lavoro, dall'affettuosa fiducia che hanno in lui i suoi allievi, dalla loro fedeltà una volta diventati adulti, ho sempre pensato che il mio amico fosse una reincarnazione dello zio Jules.

"In fondo, tu sei lo zio Jules del Val-de-Marne!"

Scoppia in una delle sue strepitose risate:

"Hai ragione, i miei colleghi mi prendono per un professore dell'Ottocento! Credono che io sia fissato con i segni di rispetto esteriore, che la fila per due, i ragazzi in piedi dietro la sedia, cose del genere, siano l'espressione di una nostalgia dei tempi andati. Intendiamoci, un po' di buona educazione non ha mai fatto male a nessuno, ma in questo caso si tratta di altro: permettendo ai miei studenti di calarsi nel silenzio, do loro il tempo di atterrare nella mia lezione, di cominciare con calma. Dal canto mio, esamino le loro facce, registro gli assenti, osservo i gruppi che si fanno e si disfano; insomma, prendo la temperatura mattutina della classe".

Nelle ultime ore del pomeriggio, quando i nostri studenti crollavano dalla stanchezza, Pierre e io praticavamo senza saperlo lo stesso rituale. Chiedevamo loro di ascoltare la città (lui Ivry, io Parigi). Seguivano due minuti di immobilità e di silenzio in cui il frastuono esterno confermava la quiete dell'interno. In quelle ore, facevamo lezione a voce più bassa, spesso le concludevamo con una lettura.

9.

Ne ha dette, di stupidaggini, la mia generazione, sui rituali considerati segno di cieca sottomissione, sulla valutazione ritenuta umiliante, il dettato reazionario, il calcolo mentale degradante, la memorizzazione dei testi infantile, proclami del genere...

Nella pedagogia è come in tutto il resto: appena smettiamo di riflettere sui casi particolari (e, in questo ambito, tutti i casi sono particolari), per regolarci nelle nostre azioni, noi cerchiamo l'ombra della buona dottrina, la protezione dell'autorità competente, l'avallo del decreto, la firma in bianco ideologica. Dopodiché ce ne stiamo saldi su certezze che nulla scuote, neppure la smentita quotidiana della realtà. Solo trent'anni dopo, se l'intera pubblica istruzione vira di bordo per evitare l'iceberg dei disastri accumulati, ci permettiamo una timida virata interiore, ma è la virata della nave stessa, ed eccoci a seguire la rotta di una nuova dottrina, ligi a un nuovo precetto, in nome del nostro libero arbitrio, ovviamente, eterni ex studenti quali siamo.

10.

Reazionario, il dettato? Inefficace, in ogni caso, se praticato da una mente pigra che si limita a defalcare punti al solo scopo di decretare un livello! Umiliante, la valutazione?
Certo, se assomiglia alla cerimonia, vista poco tempo fa alla
televisione, di un professore che restituiva i compiti ai suoi
allievi, ogni copia lanciata davanti a ciascun criminale come
un verdetto annunciato, con il volto del professore che irra-
diava furore e i suoi commenti che condannavano tutti quei
buoni a nulla all'ignoranza definitiva e alla disoccupazione
perpetua. Mio Dio, il silenzio pieno di odio di quella classe!
La palese reciprocità del disprezzo!

11.

Ho sempre pensato al dettato come a un appuntamento completo con la lingua. La lingua come suono, come racconto, come ragionamento, la lingua come si scrive e come si costruisce, il significato quale si delinea attraverso l'esercizio meticoloso della correzione. Poiché l'unico scopo della correzione di un dettato è l'accesso al significato esatto del testo, allo spirito della grammatica, all'ampiezza delle parole. Se il voto deve misurare qualcosa, è la distanza percorsa dall'interessato verso questa comprensione. Qui, come nell'analisi letteraria, si tratta di passare dalla singolarità del testo (che storia mi racconteranno?) all'elucidazione del significato (che cosa vuol dire esattamente tutto questo?), attraverso la passione del meccanismo (come funziona?).

Quale che sia stato il mio terrore infantile alla prospettiva di un dettato – e Dio sa che miei professori praticavano il dettato come una razzia di ricchi in un quartiere povero! –, ho sempre provato la curiosità della sua prima lettura. Ogni dettato comincia con un mistero: che cosa mi leggeranno? Alcuni dettati della mia infanzia erano così belli che continuavano a sciogliersi in me come una caramella al limone, ancora molto tempo dopo il voto infamante che pure mi erano costati. Ma di quello 0 in ortografia, o di quel meno 15, di quel meno 27!, avevo fatto un rifugio da cui nessuno poteva cacciarmi. Inutile che mi affannassi a correggere visto che il risultato lo conoscevo in anticipo!

Quante volte, da bambino, ho affermato ai miei maestri

ciò che i miei allievi mi avrebbero a loro volta ripetuto tanto spesso:

"Tanto io avrò sempre zero in dettato!".

"Ah, davvero, Nicolas? Che cosa te lo fa credere?"

"Ho sempre avuto zero!"

"Anch'io, prof!"

"Anche tu, Véronique?"

"E anch'io, anch'io!"

"Allora è un'epidemia! Alzino il dito quelli che hanno sempre avuto zero in ortografia."

Era una conversazione di inizio anno, durante la nostra presa di contatto, per esempio con una terza media. Era seguita sistematicamente dal primo di una lunga serie di dettati:

"Va bene, adesso vedremo. Prendete un foglio, scrivete *Dettato.*"

"Oh nooooo, prof!"

"Non si discute. *Dettato.* Scrivete: *Nicolas sostiene che avrà sempre zero in ortografia... Nicolas sostiene...*"

Un dettato non preparato, che immaginavo seduta stante, eco immediata della loro ammissione di ignoranza.

Nicolas sostiene che avrà sempre zero in ortografia per la semplice ragione che non ha mai ottenuto alcun altro voto. Frédéric, Sami e Véronique gli fanno compagnia. Lo zero che li insegue sin dal loro primo dettato li ha acciuffati e inghiottiti. A sentirli, ciascuno di loro abita in uno zero e da qui non può uscire. Non sanno di avere la chiave in tasca.

Mentre immaginavo il testo, distribuendovi una particina per ciascuno di loro, giusto per stuzzicare la loro curiosità, facevo i miei conti grammaticali: lo gni di compagnia, un presente singolare preceduto da pronome atono plurale e pronome relativo soggetto; una bella sfilza di doppie a rischio in "acciuffati" e "inghiottiti", un classico "qui" che non guasta mai ecc.

Finito il dettato, iniziavamo subito a correggerlo.

"Bene, Nicolas, leggici la prima frase."

"*Nicolas sostiene che avrà sempre zero in ortografia.*"

"È la prima frase? Finisce lì, sei sicuro?"

" ... "

"Leggi attentamente:"

"Ah! No, *per la semplice ragione che non ha mai ottenuto alcun altro voto.*"

"Bene. Qual è il primo verbo coniugato?"

"*Sostiene.*"

"Sì. Infinito?"

"*Sostenere.*"

"Coniugato come?"

"Ehm..."

"Come tenere, te lo spiegherò dopo. Tempo?"

"Presente?"

"Il soggetto?"

"Io. Cioè, *Nicolas.*"

"Persona?"

"Terza persona singolare."

"Terza persona, indicativo presente di *sostenere.* Fate attenzione alla desinenza. A te Véronique, qual è il secondo verbo di questa frase?"

"*Ha!*"

"*Ha?* Il verbo avere? Sei sicura? Rileggi."

"..."

"..."

"Ah, no, scusi, professore, è *ha ottenuto.* È il verbo *ottenere!*"

"Che tempo?"

Una correzione che riprende tutto da zero, poiché è da lì che affermiamo di partire. In terza media? Eh sì! Riprendere tutto da zero in terza media! Fino al primo anno delle superiori non è mai troppo tardi per ripartire da zero, checché se ne pensi degli imperativi del programma! Non posso certo ratificare una perenne mancanza di basi, rifilare sistematicamente la patata bollente al collega successivo! Forza, si riparte da zero: ogni verbo interrogato, ogni nome, ogni aggettivo, ogni legame, passo dopo passo, una lingua che hanno la missione di ricostruire a ogni dettato, una parola alla volta, un gruppo alla volta.

"*Ragione*, nome comune femminile singolare."

"Un determinante?"

"*La!*"

"Che tipo di determinante è?"

"Un articolo?"

"Che genere di articolo?"

"Determinativo!"

"*Ragione* ha un aggettivo qualificativo? Prima? Dopo? Lontano? Vicino?"

"Sì, prima: *semplice*. Dopo... nessuno. Nessun aggettivo, dopo. Solo *semplice*."

Questi dettati quotidiani delle prime settimane si presentavano sotto forma di brevi racconti in cui tenevamo il diario della classe. Non erano preparati. Subito dopo il punto finale, erano seguiti da questa correzione immediata, minuziosa e collettiva. Poi veniva la correzione segreta del professore, la mia, a casa, e la consegna in classe l'indomani, con il voto, il famoso voto, tanto per vedere che faccia avrebbe fatto Nicolas uscendo per la prima volta dal suo zero. L'espressione di Nicolas, di Véronique o di Sami il giorno in cui rompevano il guscio dell'uovo ortografico. Affrancati dalla fatalità! Finalmente! Oh che bella schiusa!

Dettato dopo dettato, l'assimilazione dei ragionamenti grammaticali produceva automatismi che rendevano le correzioni sempre più rapide.

I campionati di dizionari facevano il resto. Era la parte olimpica dell'esercizio. Una specie di intermezzo sportivo. Consisteva nell'arrivare, cronometro alla mano, il più in fretta possibile alla parola cercata, di estrarla dal dizionario, di fare la correzione, di reimpiantarla nel quaderno collettivo della classe e in un piccolo taccuino individuale, poi di passare alla parola seguente. La capacità di padroneggiare il dizionario è sempre stata una delle mie priorità e ho formato prodigiosi atleti in questo campo, sportivi di dodici anni che ti beccavano la parola giusta in due, massimo tre tentativi! Il significato del rapporto tra la classificazione alfabetica e lo spessore di un dizionario era un ambito in cui molti dei miei studenti mi battevano su tutta la linea. (Già che c'eravamo, avevamo esteso lo studio dei sistemi di classificazione alle librerie e alle biblioteche cercandovi gli autori, i titoli e gli editori dei romanzi che leggevamo in classe o che raccontavo loro. Arrivare primo al titolo scelto era una bella sfida! A volte il libraio regalava il libro al vincitore.)

Così si svolgevano i nostri dettati quotidiani fino al giorno in cui commissionai il dettato seguente a uno dei miei ex incapaci:

"Sami, per favore, scrivi tu il nostro dettato di domani; un testo di sei righe con due verbi pronominali, un verbo irregolare al passato remoto, un paio di bei participi passati, un aggettivo dimostrativo, un aggettivo possessivo, due o tre parole difficili che abbiamo visto insieme e una o due cosette a tua scelta".

Véronique, Sami, Nicolas e gli altri ideavano a turno i testi, li dettavano e guidavano la correzione. Questo fino a quando ogni allievo della classe riusciva a volare con le proprie ali, diventare, senza alcun aiuto, nel silenzio della propria testa, il proprio metodico correttore.

Gli insuccessi – ce n'erano, ovviamente – dipendevano il più delle volte da un motivo extrascolastico: una dislessia, una sordità non riconosciuta. Quello studente di prima superiore, per esempio, che faceva errori senza né capo né coda, alterazione della *i* o della *e* in *a*, della *u* in *o*, e che si scoprì non percepiva le frequenze acute. Sua madre non aveva pensato nemmeno per un istante che il figlio potesse essere sordo. Quando tornava dal mercato, avendo dimenticato una parte delle cose da comprare, quando dava risposte fuori luogo, quando non pareva aver capito cosa lei gli diceva, immerso com'era in una lettura, in un puzzle o nel modellino di un veliero, lei spiegava quei silenzi con un'indole svagata che la commuoveva: "Ho sempre creduto che mio figlio fosse un gran sognatore". Immaginarlo sordo era al di sopra delle sue forze di madre.

(Un audiogramma e un esame molto accurato della vista dovrebbero essere obbligatori prima dell'ingresso di ogni bambino a scuola. Eviterebbero i giudizi erronei degli insegnanti, sopperirebbero alla cecità della famiglia e libererebbero gli allievi da una sofferenza psichica ingiustificabile.)

Una volta che ciascuno era uscito dal suo zero, i dettati si facevano meno frequenti e più lunghi, dettati settimanali e letterari, dettati firmati Hugo, Valéry, Proust, Tournier, Kundera, così belli talvolta che li imparavamo a memoria, come questo testo di Cohen tratto dal *Il libro di mia madre*:

Ma perché mai gli uomini sono cattivi? Quanto mi stupisco su questa terra. Perché diventano così presto carichi d'odio, astiosi? Perché adorano vendicarsi, dire subito male di te, loro che presto moriranno, quei poveretti? È incredibile che questa orrenda avventura degli umani che arrivano su questa terra, ridono, si muovono, poi di colpo non si muovono più, non li renda buoni. E perché ti rispondono subito male, con una voce da cacatoa, se sei dolce con loro e dai loro l'impressione di essere senza importanza, ossia senza pericolo? Questo fa sì che i teneri devono far finta di essere cattivi, per essere lasciati in pace, o anche, cosa tragica, per essere amati. E se si andasse a letto a dormire sonni spaventosi? Cane che dorme non ha pulci. Ma sì, andiamo a dormire, il sonno ha i vantaggi della morte senza il suo piccolo inconveniente. Andiamoci a sistemare nella gradevole bara. Quanto mi piacerebbe poter togliere, come lo sdentato la dentiera che mette in un bicchiere d'acqua accanto al letto, togliere il mio cervello dalla sua scatola, togliere il mio cuore troppo pulsante, questo povero fesso che fa troppo bene il suo dovere, togliere il mio cervello e il mio cuore e immergerli, questi due poveri miliardari, in soluzioni rinfrescanti mentre io dormirei come il bambino che non sarò mai più. Quanto pochi sono gli umani e come diventa subito deserto il mondo.*

Veniva infine il momento di gloria: il giorno in cui sbarcavo in una terza media, o addirittura in una prima, con i temi che le mie seconde o terze superiori affidavano alla loro correzione ortografica.

I miei abbonati allo zero trasformati in correttori! Lo stormo dei passerotti ortografici che si avventavano su quei compiti!

"Il mio sbaglia tutte le doppie, prof!"

"La mia fa delle frasi che non si sa dove cominciano e non si sa dove finiscono..."

"Dopo che correggo un errore, che cosa scrivo sul margine?"

* Albert Cohen, *Il libro di mia madre*, trad. it. di G. Bogliolo, Rizzoli, Milano 1992.

"Ah, quello che ti pare..."

Proteste ghignanti degli interessati, che scoprivano le osservazioni di quei correttori implacabili:

"No, ma guardate questo cosa ha scritto sul margine: Scemo! Rimbambito! Tonto! In rosso!".

"Si vede che hai dimenticato una doppia..."

Seguiva, tra le file dei grandi, una campagna di correzione che adottava essenzialmente il metodo applicato dai piccoli: interrogare verbi e nomi prima di restituire il tema, controllare i congiuntivi, procedere insomma a una messa a punto grammaticale che ha il merito di rivelare le lacune di alcune frasi, quindi l'approssimazione di alcuni ragionamenti. In questa occasione scoprivamo, facendone poi argomento di alcune lezioni, che la grammatica è il primo strumento del pensiero organizzato e che la famosa analisi logica (di cui beninteso serbavamo un ricordo abominevole) regola gli snodi della nostra riflessione, la quale viene affinata dal buon uso delle famose proposizioni subordinate.

Qualche volta ci concedevamo pure, fra grandi, un dettatino, giusto per misurare il ruolo svolto dalle subordinate nello svolgimento di un ragionamento ben condotto. Un giorno fummo aiutati da La Bruyère in persona.

"Dai, prendete un foglio e guardate come, opponendo subordinate e principali, La Bruyère annuncia – in una sola frase! – la fine di un mondo e l'inizio di un altro. Vi leggerò il testo e vi tradurrò le parole oggi incomprensibili. Ascoltate bene. Poi scrivete prendendovi tutto il tempo di cui avete bisogno, io detterò piano, andate passo a passo, come se steste ragionando anche voi.

Mentre i grandi trascurano di conoscere non dico soltanto gli interessi dei principi e gli affari pubblici, ma i loro stessi affari; mentre ignorano l'economia e la scienza di un padre di famiglia, e si compiacciono di tale ignoranza; mentre si lasciano impoverire e comandare da amministratori, mentre si accontentano di essere intenditori di cibi o di vini, di frequentare le cortigiane e Thaïs Phryné, di parlare di caccia, di dire quante stazioni di posta ci sono da Parigi a Besançon, o a Philisbourg, alcuni cittadini si istruiscono dell'interno e

dell'esterno di un regno, studiano il governo, diventano raffinati politici, sanno la forza e la debolezza di un intero Stato, pensano a trovare una posizione migliore, la trovano, diventano potenti, sollevano
il principe da una parte delle incombenze pubbliche.

E ora il colpo di grazia:

I grandi, che li disdegnano, li venerano: fortunati se diventano loro
generi.

Due principali, di cui la seconda ellittica, *fortunati* (sono
fortunati), legate con due subordinate, la relativa *che li di-sde-
gnano*, e la condizionale finale, assassina, *se diventano loro
generi"*.

12.

E perché non imparare questi testi a memoria? In nome di che cosa non appropriarsi della letteratura? Forse perché non si fa più da tanto tempo? Vorremmo lasciare volar via pagine simili come foglie morte solo perché non è più stagione? È davvero auspicabile non *trattenere* simili incontri? Se questi testi fossero persone, se queste pagine eccezionali avessero volti, dimensioni, una voce, un sorriso, un profumo, non passeremmo il resto della vita a morderci le mani per averli lasciati scappare via? Perché condannarci a conservarne solo una traccia che sbiadirà fino a essere solo il ricordo di una traccia... ("Mi sembra, sì, di aver studiato al liceo un testo, di chi era, già? La Bruyère? Montesquieu? Fénelon? Che secolo, XVII? XVIII? Un testo che in una sola frase descriveva il passaggio da un ordine sociale a un altro...") In nome di quale principio, questo scempio? Unicamente perché i professori di una volta erano noti per farci recitare poesie spesso idiote e perché agli occhi di alcuni vecchi rimbambiti la memoria era più un muscolo da allenare che una biblioteca da arricchire? Ah! Quelle poesie settimanali di cui non capivamo nulla, ognuna delle quali prendeva il posto della precedente, come se ci esercitassero soprattutto all'oblio! C'è da chiedersi se i nostri professori ce le dessero perché le amavano o invece perché i loro maestri avevano ripetuto loro in continuazione che appartenevano al Pantheon delle Lettere Morte. Anche quelli, me ne hanno appioppati di zero! E di ore di punizione! "Tanto per cambiare, Pennacchioni, non abbiamo imparato il testo a memoria!" Ma sì, signor maestro, ancora ieri sera la sapevo, l'ho recitata a mio fratello, solo che ieri sera era una poesia, ma lei stamattina si aspetta un *testo a memoria*, e questo trabocchetto mi blocca.

Naturalmente non dicevo nulla di tutto ciò, avevo troppa paura. Ripenso a quella terrificante esperienza della recitazione davanti alla cattedra solo per tentare di spiegarmi il disprezzo con cui oggi si considera qualunque sollecitazione della memoria. Sarebbe dunque per scongiurare questi fantasmi che si decide di non appropriarsi delle pagine più belle della letteratura e della filosofia? Testi cui si nega la possibilità di essere ricordati solo perché degli idioti ne facevano una semplice questione di memoria? Se così è, significa che un'idiozia ne ha soppiantata un'altra.

Mi si obietterà che una mente organizzata non ha alcun bisogno di imparare a memoria. Sa produrre il proprio miele dalla "sostantifica midolla". Trattiene il senso e, checché ne dica io, conserva intatta la sensazione della bellezza. È peraltro in grado di trovare qualunque libro in un attimo, nella biblioteca, cascando sulle righe giuste, in due minuti. Io stesso so dove mi aspetta il mio La Bruyère, lo vedo sul suo scaffale, e il mio Conrad, e il mio Lermontov, e il mio Perros, e il mio Chandler... tutta la mia compagnia è lì, alfabeticamente dispersa in quel paesaggio che conosco così bene. Per non parlare del cyberspazio, dove posso, con la punta dell'indice, consultare la memoria dell'umanità. Imparare a memoria? Nell'epoca in cui la memoria si misura in giga!

Tutto questo è vero, ma l'essenziale è altrove.

Imparando a memoria, non supplisco a nulla, aggiungo a tutto.

La memoria, qui, entra nel cuore della lingua.

Tuffarsi nella lingua, è questo che conta.

E se tuffandomi bevo, poi mi rituffo lo stesso.

Facendo imparare a memoria tanti testi ai miei allievi, dalla prima media all'ultimo anno delle superiori (uno per ogni settimana dell'anno scolastico e ciascuno da saper recitare tutti i giorni dell'anno), li gettavo vivi nel grande fiume della lingua, quello che scorre lungo i secoli per venire a bussare alla nostra porta e ad attraversare la nostra casa. Certo che recalcitravano, le prime volte! Immaginavano che l'acqua fosse troppo fredda, troppo profonda, la corrente troppo forte, loro di costituzione troppo debole. Legittimo! La classica strizza da trampolino:

"Non ci riuscirò mai!".

"Non ho memoria."

(Tirar fuori una scusa del genere con me, uno smemorato dalla nascita!)

"È troppo lunga!"

"È troppo difficile!"

(A me, l'ex deficiente di turno!)

"E poi i versi non è come si parla oggi!"

(Ah! Ah! Ah!)

"Ci dà il voto, prof?"

(Eccome!)

Senza contare le proteste della maturità vilipesa:

"Imparare a memoria? Non siamo più dei bebè!".

"Mica sono un pappagallo!"

Giocavano il tutto e per tutto, lealmente. E, sostanzialmente, dicevano quelle cose perché le sentivano dire. Dai genitori stessi, a volte, genitori sommamente evoluti: "Ma come, professor Pennacchioni, fa studiare i testi a memoria? Mio figlio non è più un bambino!". Suo figlio, cara signora, sarà sempre un bambino, un figlio della lingua, e anche lei un piccolo bebè, e io un ridicolo marmocchio, e tutti quanti noi minutaglia trascinata dal grande fiume scaturito dalla sorgente orale delle Lettere, e suo figlio vorrà sapere in quale lingua nuota, che cosa lo tiene a galla, lo disseta e lo nutre, e vorrà farsi lui stesso portatore di tale bellezza, e con quale orgoglio!, gli piacerà tantissimo, dia retta a me, il gusto di quelle parole in bocca, i razzi illuminanti di quei pensieri nella testa, e scoprire le prodigiose capacità della sua memoria, la sua infinita duttilità, questa cassa di risonanza, il volume inaudito a cui far cantare le frasi più belle, riecheggiare le idee più chiare, andrà pazzo per questo nuoto sublinguistico quando avrà scoperto la grotta insaziabile della propria memoria, adorerà tuffarsi nella lingua, pescarvi i testi in profondità, e per tutta la sua vita saperli lì, costitutivi del suo essere, poterseli recitare all'improvviso, dirli a se stesso per sentire il sapore delle parole. Portatore di una tradizione scritta che per merito suo tornerà a essere orale, forse li reciterà a qualcun altro, per condividerli, per il gioco della seduzione, o per fare il saccente, è un rischio da correre. Così facendo si ricongiungerà con l'epoca che precede la scrittura, quando la sopravvivenza del pensiero dipendeva solo dalla nostra voce. Se lei la chiama regressione, io lo chiamo ricongiungimento! Il sapere è anzitutto carnale. Le nostre orecchie e i nostri occhi lo captano, la nostra bocca lo trasmette. Certo, ci viene dai libri, ma i libri escono da noi. Fa rumore, un pensiero, e il piacere di leggere è un retaggio del bisogno di dire.

13.

Ah! un'ultima cosa. Non si preoccupi, cara signora (potrei aggiungere oggi a questa mamma che, generazione dopo generazione, non cambia mai), non sarà certo tutta questa bellezza nella testa dei suoi figli a impedir loro di usare il linguaggio delle chat con gli amichetti, o di mandare quegli sms che la fanno gridare come un'aquila: "Mio Dio, che ortografia! Ma come si esprimono i giovani d'oggi! E che cosa fa la Scuola?". Stia tranquilla, facendo studiare i suoi figli, non intaccheremo il suo capitale di preoccupazione materna.

14.

Un testo alla settimana, quindi, che dovevamo essere in grado di recitare ogni giorno dell'anno, senza preavviso, tanto loro quanto io. E numerati, per complicare la difficoltà. Prima settimana, testo n° 1. Seconda settimana, testo n° 2. Ventitreesima settimana, testo n° 23. Tutte le apparenze di un meccanismo idiota, ma quei numeri a mo' di titoli erano un gioco, per aggiungere il piacere del caso all'orgoglio del sapere.

"Amélie, recitaci un po' il 19."
"Il 19? È il testo di Constant sulla timidezza, l'inizio di *Adolphe*."
"Bene, vai."

Mio padre era timido... Le sue lettere erano affettuose, piene di consigli ragionevoli e sensibili; ma non appena ci trovavamo l'uno in presenza dell'altro, c'era in lui qualcosa di rigido che non sapevo spiegarmi e che aveva su di me un effetto sgradevole. Non sapevo allora cosa fosse la timidezza, questa sofferenza interiore che ci perseguita fin nell'età più avanzata, che soffoca nel nostro cuore le impressioni più profonde, che ci gela le parole, che snatura sulle nostre labbra tutto ciò che tentiamo di dire, e che ci consente di esprimerci solo con frasi vaghe o una ironia più o meno amara, come se volessimo vendicarci sui nostri stessi sentimenti del dolore che proviamo nel non poterli far conoscere. Non sapevo che, anche con suo figlio, mio padre era timido e che spesso, dopo aver lungamente atteso da me un'espressione del mio affetto che la sua apparente freddezza pareva vietarmi, mi lasciava con gli occhi pieni di lacrime, e si lamentava con altri che io non lo amassi.

"Perfetto. 9. François, il numero 8."
"Il numero 8, Woody Allen! *Il leone e l'agnello.*"
"Prego."

Il leone e l'agnello giaceranno insieme, ma l'agnello dormirà ben poco."

"Benissimo. 10! Samuel, il 12."
"Il 12 è l'*Emilio* di Rousseau. La sua descrizione della condizione dell'uomo."
"Esatto."
"Un momento, prof, François si becca 10 con le due righe di Woody Allen e io devo ripetere metà dell'*Emilio*?"
"È la crudele lotteria della vita."
"Se lo dice lei."

Vi fidate dell'ordine attuale della società senza pensare che tale ordine è soggetto a inevitabili rivoluzioni e che vi è impossibile tanto prevedere quanto prevenire quella che riguarda i vostri figli. Il grande diventa piccolo, il ricco diventa povero, il monarca diventa suddito; i colpi del destino sono forse così rari che voi possiate ritenervene indenni? Ci avviciniamo a un periodo di crisi e al secolo delle rivoluzioni. Chi può prevedere ciò che diventerete? Tutto ciò che gli uomini fanno, gli uomini possono distruggerlo; gli unici segni indelebili sono quelli impressi dalla natura, e la natura non crea né principi, né ricchi, né gran signori. Cosa farà dunque, nella bassezza, quel satrapo che avrete allevato solo per la grandezza? Cosa farà nella povertà quel pubblicano che sa vivere soltanto nell'oro? Cosa farà, sprovvisto di tutto, quel fastoso imbecille che non sa avvalersi di sé stesso e si affida solo a ciò che è estraneo a lui? Fortunato quindi chi sa abbandonare la condizione che lo abbandona, e rimanere uomo a dispetto della sorte! Che si lodi quanto si vorrà il re sconfitto che come un folle vuole essere sepolto sotto le macerie del suo trono; per lui io provo disprezzo; vedo che egli esiste solo con la sua corona in testa, e che non è più nulla se non è re; ma colui che la perde e sa farne a meno è allora al di sopra di essa. Dal rango di re, che un vile, un malvagio, un folle può adempiere come chiunque altro, sale alla condizione di uomo, che pochi uomini sanno adempiere...

"Parole sante."

Non li abbandonavo in quei testi. Mi ci tuffavo con loro. A volte imparavamo a memoria i più difficili insieme, durante la lezione, man mano che loro li analizzavano. Mi sembrava di essere un maestro di nuoto. I più deboli procedevano a fatica, con la testa fuori dall'acqua, un segmento dopo l'altro, aggrappati alla tavoletta delle mie spiegazioni, poi nuotavano da soli, prima qualche frase, e in breve l'intera lunghezza di un paragrafo, che riuscivano a percorrere senza leggere, mentalmente. Appena capivano ciò che leggevano, scoprivano le loro capacità mnemoniche, e spesso, prima della fine della lezione, un buon numero di loro recitava il testo per intero, riuscendo a coprire un'intera vasca senza l'aiuto del maestro di nuoto. Cominciavano a godersi la loro memoria. Non se lo aspettavano. Era come la scoperta di una funzione nuova, come se fossero spuntate loro le branchie. Stupiti di ricordare così in fretta, ripetevano il testo una seconda, una terza volta, senza intoppi. Poiché, una volta eliminata l'inibizione, capivano ciò di cui si ricordavano. Non si limitavano a recitare una successione di parole, non era solo la loro memoria a risvegliarsi, ma anche la loro intelligenza della lingua, la lingua di un altro, il pensiero di un altro. Non recitavano *Emilio*, bensì restituivano il ragionamento di Rousseau. Orgoglio. Non che in quei momenti tu ti creda Rousseau, ma l'intuizione imprecatoria di Jean-Jacques si esprime attraverso la tua bocca!

15.

A volte giocavano. Si esercitavano insieme, facevano gare
di velocità oppure recitavano il testo con un tono estraneo alla sua natura: il furore, la sorpresa, la paura, il balbettamen-
to, l'eloquenza politica, la passione amorosa; di tanto in tanto l'uno o l'altro imitava il presidente di turno, un ministro,
un cantante, un conduttore del telegiornale... Facevano anche giochi pericolosi, rischiosi esercizi di agilità mentale; si
lanciavano sfide acrobatiche che una classe di seconda superiore mi rivelò una sera, durante una cena di fine anno. (Avevano tenuto la cosa segreta, per far colpo sul prof.) A fine pa-
sto, una Caroline puntò il dito verso un Sébastien:

"Vediamo se ci riesci: voglio il primo paragrafo del 3, la
seconda strofa dell'11, la quarta del 6 e l'ultima frase del 15".

Il Sébastien raccolse la sfida e compose mentalmente il
patchwork per poi recitarlo quasi senza esitazioni come un
testo unico e bislacco. Dopodiché lanciò la sua, di sfida:

"Adesso tocca a te, sparaci *Il ponte Mirabeau*".

Precisò:

"Al contrario".

"Facile."

Ed ecco che, alle mie orecchie stupefatte, sotto il ponte
Mirabeau la Senna prese a risalire controcorrente, dall'ulti-
mo verso al primo, fino a sparire sotto l'altopiano di Langres.
Soddisfatta, Caroline disse il nome dell'autore: Erianillopa!

"E questo, professore, lo sa fare?"

Forse un ispettore ministeriale non avrebbe apprezzato di vedere la Senna tornarsene alla sorgente o il cestello di una lavatrice confondere tutti i testi dell'anno, o i miei alunni di prima media decorare la classe con striscioni dove i loro errori di ortografia più spettacolari erano appesi come spoglie dei vinti. Ed era forse altrettanto riprovevole che io lasciassi i miei allievi più grandi farsi correggere i compiti dalla penna assassina dei più piccoli! Non è forse un modo per gratificare gli uni umiliando gli altri? Insomma, non si scherza con queste cose! Avrei dovuto difendere la mia causa: niente panico, signor ispettore, bisogna sapere giocare con il sapere. Il gioco è il respiro della fatica, l'altro battito del cuore, non nuoce alla serietà dello studio, ne è il contrappunto. E poi giocare con la materia è un modo come un altro per abituarci a padroneggiarla. Non dia del bambino al pugile che salta la corda, è imprudente.

Mischiando i testi, le mie seconde non mancavano di rispetto a Dama Letteratura, ma esaltavano l'abilità della loro memoria! Non sminuivano un sapere, ma ammiravano se stessi nell'innocenza di un saper-fare! Esprimevano il loro orgoglio giocando, senza montarsi la testa. E poi stuzzicavano Rousseau, consolavano Apollinaire, divertivano Corneille – che era anche lui incline agli scherzi e che deve annoiarsi un po', nella sua eternità. E soprattutto creavano tra loro un clima di fiducia ludica che rafforzava la serietà di ciascuno. Avevano chiuso con la paura. Era il loro modo di dirlo, di gridare: Finalmente!

A volte, peraltro, giocavo con loro.

Ci capitava di prendere in esame con il più grande interesse la stupidità, e di studiare gli effetti della sua convivenza con l'intelligenza più rara. Ammirati ma sfiniti dalla nostra scalata del *Nipote di Rameau*, ci concedevamo, per esempio, una pausa cioccolatino. Una Bacio Perugina per ogni allievo (avevo una somma stanziata per questo). Chi trovava il pensiero più scemo, la frase più insultante per le vette di intelligenza dove eravamo accampati, vinceva un secondo Bacio, dopodiché riprendevamo la scalata, con il piede leggero, ancora più onorati di frequentare Diderot. Sapevamo che se la comprensione del testo è una dura e solitaria conquista della mente, la frase scema stabilisce invece una connivenza riposante che può esistere solo tra amici intimi. Soltanto con gli amici più stretti ci raccontiamo le storielle più stupide, come per rendere un implicito omaggio alla loro raffinatezza intellettuale. Con gli altri facciamo i brillanti, sfoggiamo il nostro sapere, ce la tiriamo, seduciamo.

16.

Chi erano, i miei allievi? Alcuni di loro il genere di allievo che ero stato io alla loro età e che si trova un po' in tutti gli istituti dove approdano i ragazzi e le ragazze eliminati dai licei rispettabili. Molti erano ripetenti e avevano scarsa stima di se stessi. Altri si sentivano semplicemente tagliati fuori, esclusi dal sistema. Alcuni avevano perduto del tutto il senso dello sforzo, della durata, della costrizione, insomma dell'impegno; lasciavano semplicemente che la vita se ne andasse, dedicandosi, a partire dagli anni ottanta, a un consumismo sfrenato, *non sapendo avvalersi di loro stessi e affidandosi solo a ciò che era loro estraneo* (la riflessione di Rousseau, trasferita sul piano materiale, non li aveva lasciati indifferenti).

E tutti, ovviamente, erano casi particolari. Uno, ottimo studente nel suo liceo di provincia, si era ritrovato ultimo a bordo del transatlantico in partenza per le grandi università in cui era stato ammesso grazie al suo curriculum; l'esperienza era stata talmente dolorosa che perdeva i capelli a chiazze: depressione, a quindici anni! Una, un po' suicida, si tagliuzzava le vene ("Perché l'hai fatto?" "Tanto per provare!"), un'altra flirtava a turno con l'anoressia e la bulimia, un altro scappava di casa, un altro ancora, venuto dall'Africa, era traumatizzato da una rivoluzione sanguinosa, uno era il figlio di una portinaia infaticabile, un altro il rampollo linfatico di un diplomatico assente, alcuni erano annientati dai problemi famigliari, altri ci marciavano spudoratamente, quella vedova gotica con le orbite nere e le labbra viola aveva giurato di non stupirsi di nulla, mentre il tizio in giubbotto di pelle, ciuffo a banana e stivaletti, fuggito da un istituto tecnico di Cachan per passare al liceo da noi, scopriva con incanto la gratuità della cultura. Erano ragazzi e ragazze della loro generazione, bulli di periferia degli anni settanta, punk o dark degli anni ottanta, neoalternativi degli anni novanta; si beccavano le mode come uno si becca i microbi: mode vestimentarie, musicali, alimentari, ludiche, elettroniche, purché si consumasse.

Metà degli allievi dei miei esordi, quelli degli anni settanta, riempivano le classi dette "differenziali" di una scuola superiore di Soissons, classi di cui ci avevano precisato, con un umorismo alquanto professionale, che più che differenziali erano "delinquenziali". Alcuni erano sotto sorveglianza giudiziaria. Gli altri erano figli di mezzadri portoghesi, di commercianti locali o di quei grandi proprietari terrieri i cui campi coprivano le immense pianure dell'Est, concimate da tutti i giovani immolati nel suicidio europeo della Grande Guerra. I nostri randa condividevano gli stessi locali degli allievi "normali", la stessa mensa, gli stessi giochi, e tale felice miscuglio era merito della direzione. Poiché l'analfabetismo di ritorno non è nato oggi, a quei ragazzi e a quelle ragazze "differenziali" io dovevo, in terza media o in prima superiore, reinsegnare a leggere e a scrivere; con loro svisceravamo quel *ci* cui non si arriva mai perché si ignora che è un essere qui, un essere ora, un essere insieme e, così facendo, un essere se stessi.

Il professore di matematica e io gli avevamo insegnato anche a giocare a scacchi. E, parola mia, non se la cavavano affatto male. Avevamo costruito una grande scacchiera murale che mi regalarono quando me ne andai ("Ne faremo un'altra"), e che conservo religiosamente. Le loro prodezze in questo gioco ritenuto difficile – era l'epoca del famoso campionato Spasskij-Fischer – e la fiducia che avevano acquisito battendo alcune classi del liceo vicino ("Abbiamo battuto i latinisti, prof!") contribuirono sicuramente ai loro progressi in matematica, quell'anno, e alla loro promozione. Alla fine dell'anno, con tutte le classi, avevamo messo in scena *Ubu re*. Un *Ubu* diretto dalla mia amica Fanchon, oggi insegnante a Marsiglia, anche lei una specie di zio Jules, inossidabile nella sua lotta contro tutte le ignoranze. Per inciso, Padre e Madre Ubu avevano suscitato scandalo nel loro letto matrimoniale, sotto gli occhi del vescovo locale. (Verticale, il letto, perché si potesse ammirare la coppia regale anche dal fondo della palestra dove veniva rappresentata la pièce.)

Dal 1969 al 1995, tranne due anni passati in un istituto i cui allievi erano selezionatissimi, la maggior parte dei miei studenti era composta da bambini e adolescenti, come fui io, con maggiore o minore difficoltà scolastica. I più gravi presentavano su per giù i miei stessi sintomi alla loro età: mancanza di fiducia in sé, rinuncia allo sforzo, incapacità di concentrazione, distrazione, mitomania, creazione di bande, a volte alcol, e anche droghe, leggere a sentir loro, l'occhio però un po' liquido, certe mattine...

Erano i *miei* studenti. (Questo possessivo non indica proprietà, designa un intervallo di tempo, i nostri anni di insegnamento, in cui la nostra responsabilità di professori è totalmente investita in quegli studenti lì.) Una parte del mio mestiere consisteva nel persuadere i *miei* studenti più abbandonati a loro stessi che la gentilezza più del ceffone invita alla riflessione, che la vita in comunità ha delle regole, che il giorno e l'ora della consegna di un compito non sono negoziabili, che un compito malfatto è da rifare per l'indomani, che questo, che quello ma che mai e poi mai né i miei colleghi né io li avremmo abbandonati in mezzo al guado. Affinché avessero una possibilità di farcela, occorreva reinsegnare loro il concetto stesso di sforzo, restituire loro il piacere della solitudine e del silenzio, e soprattutto il controllo del tempo, quindi della noia. Sì, qualche volta ho consigliato loro esercizi di noia, per collocarli nella durata. Li pregavo di non fare niente: non distrarsi, non *consumare* niente, nemmeno conversazione, né tantomeno studiare, insomma non fare niente, niente di niente.

"Oggi pomeriggio, esercizio di noia, venti minuti a non fare niente prima di mettervi a studiare."

"Nemmeno ascoltare musica?"

"Assolutamente no!"

"Venti minuti?"

"Venti minuti. Orologio alla mano. Dalle 17.20 alle 17.40. Tornate diritti a casa, non rivolgete la parola a nessuno, non vi fermate in nessun bar, ignorate l'esistenza dei flipper, non riconoscete i vostri amici, entrate in camera vostra, vi sedete sul letto, non aprite la cartella, non vi mettete il walkman sulle orecchie, non guardate il vostro gameboy, e aspettate venti minuti, fissando il vuoto."

"Per fare cosa?"

"Per curiosità. Concentratevi sui minuti che passano, non perdetevene neanche uno e domani mi raccontate."

"E come farà, lei, a verificare che l'abbiamo fatto?"

"Non posso."

"E dopo i venti minuti?"

"Buttatevi sui compiti come degli affamati."

17

Se dovessi definire queste lezioni, direi che i miei presunti somari e io lottavamo contro il pensiero magico, quello che, come nelle fiabe, ci tiene prigionieri di un eterno presente. Farla finita con lo zero in ortografia, per esempio, significa sottrarsi al pensiero magico. Si rompe un incantesimo. Si esce dal cerchio. Ci si risveglia. Si mette un piede nella realtà. Ci si occupa del presente indicativo. Si incomincia a capire. Prima o poi deve arrivare il giorno in cui ci si risveglia! Un giorno, un'ora! Nessuno è condannato a essere per sempre una nullità, come se avesse mangiato una mela avvelenata! Non siamo in una fiaba, vittime di un incantesimo!

Forse è questo insegnare: farla finita con il pensiero magico, fare in modo che a ogni lezione scocchi l'ora del risveglio.

Oh! Capisco bene che proclami del genere possono suonare esasperanti per tutti i professori che si smazzano le classi più scalcagnate delle periferie di oggi. La leggerezza di queste definizioni rispetto agli ostacoli sociologici, politici, economici, famigliari e culturali, è vero... Rimane il fatto che il pensiero magico svolge un ruolo non trascurabile nell'accanimento con cui il somaro se ne sta rintanato nella propria sensazione di essere una nullità. E questo da sempre e in tutti gli ambienti.

Il pensiero magico... Un giorno chiedo ai miei allievi di terza superiore di fare il ritratto del professore che dà le tracce della maturità. È un compito scritto: Fate il ritratto del professore che dà le tracce della prova di francese. Non erano più bambini, avevano il tempo di pensarci, una settimana per consegnarmi il compito; potevano dirsi che un solo professore non bastava per preparare tutte le tracce di francese, di tutti gli indirizzi, di tutte le tipologie di scuola, che probabilmente la cosa si faceva in gruppo, che si dividevano il lavoro, che una commissione decideva il contenuto delle tracce in funzione dei diversi programmi, congetture del genere... Niente di tutto questo: mi fecero tutti, senza eccezioni, il ritratto di un vecchio saggio, con la barba, solitario e onnisciente, che dall'alto dell'olimpo del sapere lasciava cadere sulla Francia le tracce della maturità come altrettanti enigmi divini. Avevo pensato a quel titolo per avere un'idea dell'immagine che loro si facevano dell'Autorità, e da lì chiarire la natura della loro soggezione. Obiettivo raggiunto. Ci siamo poi procurati gli annali dell'esame di maturità, abbiamo censito tutte le tracce dei temi degli ultimi anni, le abbiamo esaminate, abbiamo studiato la loro composizione, abbiamo scoperto che non venivano proposti più di quattro o cinque argomenti di riflessione, a loro volta presentati solo in due o tre tipi di formulazioni. (Non molto più complesse, a conti fatti, delle varianti della ricetta dell'anatra all'arancia: non avete l'anatra, prendete una gallina, non avete le arance, prendete delle rape. Se non avete né l'anatra né la gallina prendete manzo e carote. Il succo era lo stesso: Il candidato illustri il suo pensiero con citazioni tratte dalla cultura personale.) Forti di quell'analisi strutturale, furono incaricati, per il compito seguente, di comporre loro stessi la traccia di un tema.

"Ci dà il voto, professore?"

(Quante volte l'ho sentita, questa domanda!)

"Ma sì, ogni lavoro merita una ricompensa."

Fantastico! Una semplice traccia valutata come un tema intero, che pacchia! Si sfregavano le mani. Prevedevano un fine settimana più leggero del solito. Ma non dovevo preoccuparmi, non avrebbero preso sottogamba quel compito, mi promettevano di rifletterci seriamente, una traccia con tutti i crismi, argomento, struttura e tutto quanto, promesso, prof! (In fondo, prendere il posto del Padreterno era piuttosto allettante.)

Non se la cavarono affatto male. Avevano redatto le loro tracce sulla base di ciò che sapevano del programma e di qualche idea che si sentiva in giro all'epoca. Avrei potuto farli assumere dal ministero della Pubblica istruzione. Uno di loro, o meglio una di loro, era una ragazza, fece notare che la formulazione di quelle tracce ufficiali non era essa stessa esente dal pensiero magico:

"'Il candidato illustri il suo pensiero con citazioni tratte dalla cultura personale.' Quali citazioni, il giorno della maturità, professore? Da dove dovrebbe tirarle fuori, il candidato? Dalla sua testa? Mica tutti imparano a memoria i testi come noi! E quale cultura personale? Vogliono che parliamo dei nostri cantanti preferiti? Dei nostri fumetti? Un po' *magica* questa formula, no?". "Non magica, ideale."

La settimana seguente dovettero solo svolgere la traccia che si erano dati. Non dico che fecero dei capolavori, ma ci misero l'anima; io raccolsi temi che dovevano pochissimo al pensiero magico e loro ricevettero voti che dovevano molto di più alla comprensione degli imperativi dell'esame di maturità.

18

"Ci dà il voto, prof?"

C'era la questione dei voti, certo.

Questione fondamentale, il voto, se vogliamo affrontare il pensiero magico e quindi lottare contro l'assurdo.

Quale che sia la materia insegnata, un professore scopre ben presto che, a ogni domanda posta, lo studente interrogato ha a disposizione tre risposte possibili: quella giusta, quella sbagliata, quella assurda. Io stesso ho abbondantemente abusato dell'assurda durante i miei anni di scuola: "La frazione bisogna ridurla al denominatore comune!" o, più tardi: "*Sen a* fratto *sen b*, semplifico seno, resta *a* fratto *b*!". Uno dei malintesi della mia carriera scolastica sta probabilmente nel fatto che i miei insegnanti valutavano come sbagliate le mie risposte assurde. Potevo rispondere con la prima cavolata che mi passava per la testa, ma una cosa era certa: avrei ottenuto un voto! Zero, il più delle volte. Questo l'avevo capito prestissimo. E che quello zero era il modo migliore per essere lasciato in pace. Almeno temporaneamente.

Ma la condizione *sine qua non* per liberare il somaro dal pensiero magico è il rifiuto categorico di valutare la sua risposta se è assurda.

Durante le nostre prime correzioni grammaticali, i miei studenti "differenziali" che sostenevano di essere abbonati allo zero non lesinavano le risposte assurde.

In terza media, per esempio, l'amico Sami.

"Sami, qual è il primo verbo coniugato della frase?"

"*Elemento*, prof, è *elemento*?"

"Che cosa ti fa dire che *elemento* è un verbo?"

"Perché viene da *mento*, come io mento!"

"E all'infinito, come fa?"

"...?"

"Dai, forza? Come fa? Un verbo della terza coniugazione, come mentire? *Elementire*? *Io elemento, tu elementi, egli elemente*?"

"..."

La risposta assurda si distingue da quella sbagliata in quanto non è frutto di alcun tentativo di ragionamento. Spesso automatica, si limita a un atto meccanico. Lo studente non fa un errore, risponde a caso a partire da un indizio qualunque (in questo caso il verbo *mento* dentro al sostantivo *elemento*). Non risponde alla domanda posta, ma al fatto che gli venga posta. Ci si aspetta da lui una risposta? Lui la dà. Giusta, sbagliata, assurda, poco importa. Del resto, agli esordi della sua vita scolastica, pensava che la regola del gioco consistesse nel rispondere per rispondere, schizzava dalla sedia con il braccio teso, tutto fremente di impazienza: "Io, io, maestra, lo so! Lo so!" (esisto! esisto!) e rispondeva la prima cosa che capitava. Ma ben presto ci adeguiamo. Sappiamo che i professori si aspettano da noi una risposta giusta. Ma si dà il caso che non ne abbiamo nessuna a disposizione. Nemmeno sbagliata. Nessuna idea di cosa dobbiamo rispondere. A stento abbiamo capito la domanda. Posso forse confessarlo al prof? Posso scegliere il silenzio? No. Tanto vale rispondere quello che capita. Con candore, se possibile. Non l'ho azzeccata, professore? Come mi dispiace. Ci ho provato, mi è andata male, chiusa la questione, mi metta zero e non se ne parli più. La risposta assurda costituisce l'ammissione diplomatica di una ignoranza che, nonostante tutto, cerca di mantenere un rapporto. Indubbiamente, può anche esprimere un tipico atto di ribellione: quanto mi rompe, 'sto prof, sempre a mettermi con le spalle al muro. Mica gliene faccio, io, di domande.

In tutti i casi, mettere un voto a questa risposta – per esempio nella correzione di una verifica scritta – significa accettare di mettere un voto alla prima cosa che capita, quindi commettere a propria volta un'azione pedagogicamente assurda. In questo caso studente e insegnante esprimono più o meno consapevolmente lo stesso desiderio: l'eliminazione simbolica dell'altro. Rispondendo quello che capita alla domanda posta dall'insegnante, cesso di considerarlo in quanto insegnante, diventa un adulto che io lusingo o elimino mediante l'assurdo. Accettando di considerare sbagliate le risposte assurde del mio studente, cesso di considerarlo uno studente, diventa un soggetto non conforme che io relego nel limbo dello zero eterno. Ma così facendo annullo me stesso in quanto insegnante; la mia funzione pedagogica viene meno di fronte alla ragazza o al ragazzo che, ai miei occhi, si rifiuta di recitare il suo ruolo di studente. Quando dovrò scrivere la sua scheda di valutazione potrò sempre prendere a pretesto la sua mancanza di basi. Uno studente che scambia il sostantivo "elemento" per un verbo della terza coniugazione non manca forse straordinariamente di basi? Certo. Ma un insegnante che finge di considerare sbagliata una risposta così palesemente assurda non farebbe forse meglio a dedicarsi anche lui al gioco d'azzardo? Almeno avrebbe da perderci solo i suoi soldi, non si giocherebbe la carriera scolastica dei suoi studenti.

Perché al somaro, invece, il limbo dello zero va benissimo (così crede lui). È una fortezza da cui nessuno verrà a farlo sloggiare. La consolida accumulando le assurdità, la decora di spiegazioni variabili (che variano secondo l'età, l'umore, l'ambiente e il suo temperamento: "Sono troppo stupido", "Non ci arriverò mai", "Il prof non mi sopporta", "Sono incazzato", "Mi stressano" ecc.; sposta il problema dell'istruzione sul terreno incerto del rapporto personale dove tutto diventa una questione di suscettibilità. Cosa che fa anche il professore, convinto che quello studente lo faccia apposta. Poiché ciò che impedisce all'insegnante di considerare la risposta assurda come un effetto devastante del pensiero magico è molto spesso la sensazione che lo studente lo prenda deliberatamente per i fondelli.

142

Sicché il medesimo professore si chiude a sua volta nel suo *ci*:

"Con questo qui non *ci* riuscirò mai".

Nessun professore è esente da questo genere di fallimenti. Ne conservo cicatrici profonde. Sono i miei fantasmi familiari, i volti fluttuanti degli studenti che non sono stato capace di tirar fuori dal loro *ci*, e che mi hanno rinchiuso nel mio.

"Questa volta, non posso farci proprio niente."

19.

"Ah, finalmente!"

"Cosa, finalmente?"

Conosco questa voce. Si aggira dentro di me sin dalle prime righe di questo libro. Sta in agguato, nascosta. Aspetta che io vacilli. È il somaro che fui. Sempre vigile. Più incline del mio io attuale a posare uno sguardo critico sulla mia attività di insegnante. Mai potuto sbarazzarmene. Siamo invecchiati insieme.

"Finalmente cosa?"

"Finalmente arriviamo al tuo, di *ci*! Il tuo *ci* di insegnante. Il tuo ambito di incompetenza. Perché a leggerti fin qui mi sembravi proprio il classico insegnante perfetto! Prima mi salvi tutti i disortografici del creato, poi mi colmi ognuno di letteratura indimenticabile, dopodiché mi rendi metodiche le menti più confuse! Mai un fallimento, allora?"

"..."

"Un ragazzino con cui *non funziona*, non ti è mai capitato?"

Piccolo asino in cerca di vendetta che riaffiora dagli abissi dentro di me per ridestare i miei fantasmi! E ci riesce. Subito appaiono tre volti. Tre volti dell'ultimo banco, all'ultimo anno delle superiori. Hanno parecchio da rimediare per avere la sufficienza in francese ed essere ammessi alla maturità eppure rimangono assolutamente impermeabili a quello che dico loro di Camus, di cui devono portare *Lo straniero*. Presenti a tutte le lezioni ma totalmente altrove. Tre *stranieri* puntuali, cui non ho mai potuto strappare il minimo segno di interesse e il cui silenzio mi ha costretto a lezioni rigidamente frontali. I miei tre Meursault... Erano diventati una specie di ossessione. Il resto della classe non bastava a togliermeli dagli occhi.

"Non c'è altro?"

"..."

"Non c'è altro?"

No, c'è Michel, in seconda superiore, poco più che diciassettenne, pluribocciato e preso da noi su mia raccomandazione, che in tempo record pianta un casino pazzesco nella scuola e finisce per esplodere davanti ai miei occhi ("Ma chi le ha chiesto niente, a lei, porca troia!"), prima di scomparire in non so quale vita.

"Ne vuoi altri? Una banda di ladruncoli che si faceva i grandi magazzini nonostante le mie lezioni di morale, ti va bene?"

"Oh, ecco. Tanto valeva dirlo."

"Vai a quel paese, lo conosco fin troppo bene il tuo piacere di asino di dare lezioni al mondo intero! Se avessi dato retta a te, non avrei insegnato a nessuno, mi sarei alzato prestissimo una mattina e sarei andato a fare un giro sul picco de La Gaude."

Ridacchia:

"Risultato, sono ancora qui, con te. Il somaro è ostinato, si sa...".

Fine della nostra conversazione. Fino alla prossima volta. Scompare, lasciandomi comunque il rimorso di alcune lezioni preparate in fretta e furia, di alcuni pacchi di compiti consegnati in ritardo nonostante i buoni propositi... Il nostro *ci* di professori... Lo spazio chiuso delle nostre improvvise stanchezze, dove possiamo misurare le nostre rinunce. Una stramaledetta prigione. In cui giriamo a vuoto, solitamente più preoccupati di cercare dei colpevoli che di trovare delle soluzioni.

Sì, a furia di ascoltare il ronzio del nostro alveare pedagogico, quando ci prende lo scoramento la passione ci induce a cercare dei colpevoli. La scuola pubblica pare del resto strutturata in modo che ciascuno possa comodamente trovarvi il proprio:

"Ma insomma, alla scuola materna non hanno imparato come ci si comporta?" domanda il maestro elementare davanti a bimbetti agitati come palline da flipper.

"Che cacchio hanno fatto alla scuola elementare?" impreca il professore delle medie accogliendo alunni di prima che reputa analfabeti.

"Qualcuno può dirmi che cosa hanno imparato alla scuola dell'obbligo?" esclama l'insegnante di liceo davanti alla propensione delle prime e seconde a esprimersi senza vocabolario.

"Davvero vengono dal liceo?" si interroga il docente universitario spulciando la sua prima pila di esami scritti.

"Spiegatemi che cavolo insegnano all'università!" tuona l'industriale di fronte ai giovani appena reclutati.

"L'università forma esattamente ciò che richiede il vostro sistema" risponde il giovane mica scemo. "Schiavi ignoranti e clienti ciechi! Le grandi università programmano i vostri capetti – chiedo scusa, i vostri *managers* – e i vostri azionisti macinano dividendi."

"Assenza della famiglia" deplora il ministero della Pubblica istruzione.

"La scuola non è più quella di una volta" lamenta la famiglia.

A cui si aggiungono i processi interni a ogni istituzione che si rispetti. L'eterna querelle degli antichi e dei moderni, per esempio:

"Basta con il lassismo dei pedagogisti!" urlano i conservatori che attaccano la demagogia.

"Abbasso i conservatori elitisti!" ribattono i pedagogisti in nome dell'evoluzione democratica.

"I sindacati paralizzano la scuola!" accusano i funzionari del ministero.

"Invitiamo a vigilare!" ribattono i sindacati.

"Una simile percentuale di analfabeti in prima media, ai miei tempi non si vedeva!" deplora la vecchia guardia.

"Ai suoi tempi la scuola media accoglieva solo consigli di amministrazione in calzoni corti," punzecchia il dispettoso, "bei tempi, eh?"

"È uguale a tua madre, questo bambino!" tuona il padre adirato.

"Se tu fossi stato un po' più severo con lui, adesso non sarebbe in queste condizioni!" risponde la madre esasperata.

"Come si fa a studiare in un clima famigliare del genere?" si lamenta l'adolescente depresso alle orecchie del professore comprensivo.

Fino al somaro stesso che, dopo aver usato metodica ferocia per mandare il proprio insegnante all'ospedale a curarsi da una lunga depressione, è il primo a spiegarti, mellifluo:

"Il prof Taldeitali mancava di autorità".

E se tutto questo non basta, ci resta sempre la possibilità di indicare in noi stessi il responsabile della nostra incompetenza:

"Non posso farci niente, sono così" scriveva alla mamma il somaro che ero chiedendole di esiliare in capo al mondo, in Africa, il mister Hyde che mi impediva di essere un buon dottor Jeckyll.

Facciamo un sogno riposante. La professoressa è giovane, diretta, non formattata, non è schiacciata dal peso della fatalità, è assolutamente presente e la sua classe è piena di tutti gli studenti, i genitori, i colleghi e i datori di lavoro della Francia intera, cui si sono uniti – sono state aggiunte delle sedie – gli ultimi dieci ministri della Pubblica istruzione.

"Davvero non possiamo farci niente?" domanda la giovane insegnante.

La classe non risponde.

"Ho sentito bene? Non possiamo farci niente?"

Silenzio.

Allora la giovane insegnante tende un gessetto all'ultimo ministro in carica e chiede:

"Scrivi alla lavagna: *Non possiamo farci niente*".

"Non l'ho detto io," protesta il ministro, "l'hanno detto i funzionari del ministero! È la prima cosa che annunciano a ogni nuovo arrivato: 'Tanto, signor ministro, non possiamo farci niente!'. Ma io, con tutte le riforme che ho proposto, non posso essere sospettato di aver detto una cosa simile! Non è certo colpa mia se tanti ostacoli impediscono al mio genio riformatore di esprimersi!"

"Non importa chi l'ha detto," risponde la giovane insegnante sorridente, "scrivi alla lavagna: *Non possiamo farci niente.*"

Possiamo farci niente.

"Aggiungi un *Non* davanti a possiamo. Fa parte del problema, quel *non*. E non poco!"

Non possiamo farci niente.

"Perfetto. Che cos'è quel *ci* di *farci*, secondo te?"

"Boh."

"Be', amici miei, dobbiamo assolutamente scoprire cosa significa quel *ci*, altrimenti siamo fottuti."

IV
MA ALLORA TU LO FAI APPOSTA

Non l'ho fatto apposta.

1.

Vercors, l'estate scorsa. Beviamo un bicchiere, V. e io, seduti ai tavolini all'aperto di La Bascule, guardando pigramente il gregge di Josette che torna dai campi. V., che come me ha l'età della pensione, mi chiede cosa sto scrivendo in questo momento. Glielo dico.

"Ah! L'asino! Be' su questo argomento la so lunga, perché non ero esattamente una cima a scuola, te lo dico io."

Una pausa.

"Infatti l'ho mollata appena ho potuto. Eh sì!"

Josette segue le mucche in sella alla sua bici. È accompagnata da due border collies che trotterellano in calzini bianchissimi.

"Sono stato stupido," continua V., "ma cosa vuoi, a quell'età lì uno segue solo l'istinto."

Una pausa.

"Perché ha la sua utilità, la scuola! Se ci fossi rimasto, invece di farmi il mazzo per tirar su quattro soldi, adesso sarei un capo, e avrei diretto delle multinazionali! 'sera Josette!"

"Voglio dire, le avrei dirette verso il precipizio. E dopo averle gettate sul fondo, me ne sarei andato via con un bell'assegnone e i complimenti del direttore."

Il gregge è passato.

"E invece..."

V. riflette. Sembra tentato dall'autobiografia, ma ci rinuncia:

"Insomma, non l'ho fatto apposta..."

Si ferma un attimo su questa constatazione.

"Sul serio. Credevano che lo facessi apposta, e invece no! Ero come un cagnolino, correvo dietro al mio naso."

2.

Il fatto è che una delle accuse più frequenti fatte dalla famiglia e dai professori allo studente che va male a scuola è l'inevitabile "Ma allora tu lo fai apposta!". Vuoi imputazione diretta ("Non raccontarmi storie, tu lo fai apposta!"), vuoi esasperazione conseguente a ennesima spiegazione ("Ma non è possibile, tu lo fai apposta!"), vuoi informazione destinata a un terzo che il sospettato coglie, diciamo, origliando alla porta dei genitori ("Ti dico che questo ragazzo lo fa apposta!"). Quante volte io stesso l'ho sentita, e più tardi pronunciata, questa accusa, dito puntato verso uno studente o verso mia figlia quando imparava a leggere, se tentennava un po'. Fino al giorno in cui mi sono chiesto che cosa stessi dicendo.

Ma allora tu lo fai apposta.

In tutti i casi presi in considerazione, il fulcro della frase è l'avverbio *apposta*. Sfidando la grammatica, è direttamente associato al pronome *tu*. Tu apposta! Il verbo *fare* è secondario e il pronome *lo* assolutamente incolore. La cosa importante, ciò che suona all'orecchio dell'accusato, è proprio quel *tu apposta*, che fa pensare a un indice teso.

Sei tu il colpevole,

l'*unico* colpevole,

e *volontariamente* colpevole, oltre tutto!

Questo è il messaggio.

Il "Tu lo fai apposta" degli adulti fa *pendant* al "Non l'ho fatto apposta" sciorinato dai bambini una volta commessa la marachella.

Proposto con veemenza ma senza grandi illusioni, "Non l'ho fatto apposta" comporta quasi automaticamente una delle seguenti risposte:

"Lo spero!".

"E meno male!"

"Ci mancherebbe altro!"

Questo dialogo specchio è antico come il mondo e tutti gli adulti trovano la loro replica spiritosa, almeno la prima volta.

Nell'"Io non l'ho fatto apposta", l'avverbio *apposta* perde un po' della propria forza, il verbo *fare* non ne guadagna nessuna, rimane una specie di ausiliare e il pronome *lo* vale sempre come il due di picche. Ciò che il colpevole cerca di far suonare alle nostre orecchie, qui, è il pronome *io* associato alla negazione *non*.

Al *tu apposta* dell'adulto risponde l'*io non* del bambino.

Nessun verbo, nessun pronome atono, ci sono solo io, qui dentro, questo *io*, afflitto da questo *non*, che dice che in questa vicenda io non appartengo a me stesso.

"E invece sì, l'hai fatto apposta!"

"No, non l'ho fatto apposta!"

"Tu apposta!"

"Io no!"

Dialogo tra sordi, necessità di temporeggiare, di rimandare l'epilogo. Ci lasciamo senza una soluzione e senza illusioni, gli uni convinti di non essere obbediti, gli altri di non essere capiti.

È qui che la grammatica può di nuovo tornare utile.

Se acconsentiamo, per esempio, a interessarci a questa parolina quasi invisibile abbandonata sul terreno della disputa, quel *lo* che di nascosto ha tenuto tutte le fila del nostro dialogo.

Forza, un piccolo esercizio di grammatica all'antica, tanto per provare, proprio come facevo con i miei "differenziali".

"Chi sa dirmi che tipo di parola è questo *lo* nella frase 'Tu lo fai apposta'?"

"Io, io! È un articolo, prof!"

"Un articolo? Perché un articolo?"

"Perché *il*, *lo*, *la*, prof! È un articolo *determinativo*, anche!"

In tono di vittoria. Abbiamo dimostrato al prof che sappiamo qualcosa... *Un*, *uno*, *una*, articoli indeterminativi, *il*, *lo*, *la*, articoli determinativi, ecco, la faccenda è chiusa.

"Ah! Un articolo determinativo? E dove diavolo si trova il nome determinato dall'articolo?"

"..."

Si cerca.

Nessun nome.

Imbarazzo.

Non è un articolo.

"Che cos'è questo *lo*?"

"..."

"..."

"È un pronome, prof!"

"Bravo. Che tipo di pronome?"

"Un pronome personale!"

"Non ci siamo."

"Un pronome atono!"

Ecco. Benissimo. Giusto. Adesso lasciamo la classe e torniamo a noi, analizziamo questo pronome atono fra adulti. Con cautela. Sono parole pericolose, i pronomi atoni, mine antiuomo sepolte sotto il significato apparente e che ti esplodono in faccia se non le disinneschi. Questo *lo*, per esempio... Quante volte ci siamo chiesti, pronunciando l'accusa "Lo fai apposta" che cosa esprimesse nel caso specifico il pronome atono *lo*? Apposta a fare cosa? L'ultima stupidaggine? No, il tono con cui abbiamo lanciato questa accusa (poiché c'è anche il tono!) lascia chiaramente intendere che il colpevole lo fa sempre apposta, che ogni volta lo fa apposta, che quest'ultima stupidaggine è la conferma della sua ostinazione. Allora, apposta a fare cosa?

A non obbedirmi?

A non studiare?

A non concentrarti?

A non capire?

A non cercare nemmeno di capire?

A resistermi?

A farmi arrabbiare?

A esasperare i tuoi insegnanti?

A far disperare i genitori?

A cedere ai tuoi peggiori difetti?

A giocarti il futuro rovinandoti il presente?

A prendere tutti per i fondelli?

È così, eh, prendi tutti per i fondelli? Ci provochi?

Tutto questo, sì, se vogliamo, ammettiamolo.

Si pone allora il problema dell'avverbio. Perché *apposta*? A che scopo? Per quale ragione farebbe una cosa del genere? Dovrà pure avere uno scopo, visto che lo fa *apposta*.

Apposta perché?

Per godersi l'istante? Semplicemente godersi l'istante? Ma l'inevitabile istante successivo, quello che passa con me, è invece un gran brutto quarto d'ora, visto che lui si becca un cazziatone! Forse vuole vivere tranquillamente in una condizione di pigrizia, indifferente ai cazziatoni? Una specie di edonismo? No, sa benissimo che il piacere di non fare niente si paga con sguardi sprezzanti, con riprovazioni definitive che generano il disgusto di sé. Allora? Perché lo fa comunque *apposta*?

Per attirarsi la considerazione degli altri somari? Perché impegnarsi vorrebbe dire tradirsi? Gioca volontariamente a buoni contro cattivi, a giovani contro vecchi? È il suo modo di socializzare?

Forse. In ogni caso è la tesi preferita di oggi: la tribalizzazione dell'ignoranza, la fuga di tutti gli asini nella vasta palude dove brulica la feccia. Ha di comodo, questa spiegazione, di fondarsi su una certa verità sociologica, il fenomeno esiste, non c'è dubbio. Ma non tiene conto della persona, sempre unica, del ragazzino che, fenomeno delle bande o meno, a un certo momento si ritrova solo, solo di fronte ai propri fallimenti, solo di fronte al proprio avvenire, solo, la sera, di fronte a se stesso prima di andare a letto. Consideriamolo, allora. Guardalo bene. Chi potrebbe scommettere un centesimo sulla sua sensazione di benessere? Chi potrebbe sospettarlo di *farlo apposta*?

Tu lo fai apposta...

A dire il vero, nessuna di queste spiegazioni è del tutto soddisfacente. Tutte più o meno reggono, ma...

A questo punto, un'ipotesi: sarebbe forse possibile che, contro ogni regola grammaticale, il pronome *lo* indicasse anche un oggetto esterno alla frase? Noi per esempio... La degradazione della nostra immagine ai nostri occhi. La nostra immagine che ha tanto bisogno, anch'essa, del suo bravo specchio.

Un *lo* che accuserebbe l'altro – in questo caso il ragazzo che va male a scuola – di restituirmi l'immagine di un adulto impotente e preoccupato, vittima di un incomprensibile rifiuto. Eppure Dio sa se sono sani i principi che voglio inculcare in questo bambino! E legittimo il sapere che dispenso a questo studente!

Alla solitudine del bambino corrisponde la mia solitudine di adulto.

Tu lo fai apposta.

E quando si tratta di un'intera classe, quando una trentina di studenti cominciano a farlo apposta, il professore che sono ha la netta sensazione di diventare l'oggetto di un linciaggio culturale. E se il *lo* affligge un'intera generazione – "ai miei tempi era inimmaginabile!" – se generazioni successive lo fanno apposta, allora ci percepiamo come gli ultimi rappresentanti di una specie in via di estinzione, i superstiti dell'ultima epoca in cui i giovani (noi stessi, a quei tempi) ci erano comprensibili... E ci sentiamo molto soli nella nostra vecchia vita, sempre lucidi di certo, vigili come non mai, e quanto mai competenti, tra di noi insomma, come quando eravamo giovani, noialtri pochi superstiti delle epoche civilizzate, che continuiamo a pensare bene, esclusi da ciò che è diventata nostro malgrado la realtà.

Esclusi.

Poiché la sensazione di esclusione non riguarda solo le popolazioni respinte al di là dell'ennesima circonvallazione periferica, minaccia anche noi, maggioranza di potere, appena smettiamo di capire una briciola di ciò che ci circonda, appena il profumo dell'insolito infetta l'aria che tira. Che smarrimento proviamo, allora! E come ci spinge a designare i colpevoli.

"Tu lo fai apposta!"

Un pronome così piccolo per così tanta solitudine!

3.

Una parentesi a proposito di questa sensazione di esclusione delle maggioranze preoccupate. Quando ero adolescente, eravamo almeno in due a farlo apposta: Pablo Picasso e io. Il genio e il somaro. Il somaro non faceva niente e il genio faceva cose folli, ma apposta, tutti e due. Era il nostro unico punto in comune.

Spesso, nelle tavolate domenicali, gli adulti tagliavano i panni addosso a Picasso: Orribile! Pittura per snob! Scarabocchi eretti a grande arte...

Nonostante questa levata di scudi, Picasso si diffondeva come un'alga: disegno, pittura, incisione, ceramica, scultura, scenografie, persino letteratura, faceva di tutto.

"Dicono che lavori molto in fretta!"

Una di quelle alghe infestanti venute da un oceano mostruoso per inquinare i golfi dell'arte tranquilla.

"È un insulto alla mia intelligenza! Non accetterò mai di essere presa per i fondelli."

Al punto che una domenica presi le difese di Picasso domandando alla signora che aveva ripetuto questa accusa per l'ennesima volta se pensasse *ragionevolmente* che quella mattina l'artista si fosse svegliato con l'idea di buttar giù in quattro e quattr'otto una piccola tela al solo scopo di prendere per i fondelli la signora Geneviève Pellegrue.

La verità è che quella brava gente cominciava a soffrire di una sensazione di esclusione; entrava in solitudine. Attribuiva al pittore una spaventosa capacità di assorbimento. Il ciarlatano incarnava da solo un universo nuovo, un futuro minaccioso in cui un'orda di Picasso avrebbe trasformato tutte le Pellegrue del mondo in un solo e unico gonzo.

"Be', io non ci sto! Me, non mi avrà!"

Geneviève Pellegrue ignorava che lo stomaco era lei, che avrebbe digerito Picasso come tutto il resto, lentamente ma inesorabilmente, tanto che quarant'anni dopo i suoi nipoti avrebbero viaggiato in una delle auto familiari più orribili che siano mai state inventate, una supposta gigante cui i novelli Pellegrue avrebbero dato il nome dell'artista e che in una bella domenica di prurito culturale li avrebbe portati davanti alla porta del Museo Picasso.

4.

Feroce candore delle maggioranze di potere... Ah! i difensori di una norma, quale che sia: norma culturale, norma famigliare, norma aziendale, norma politica, norma religiosa, norma di clan, di club, di banda, di quartiere, norma di igiene, norma del muscolo o del cervello... Come si ritraggono, i custodi della norma, appena sentono odore di incomprensibile, come si sentono perseguitati, allora, neanche fossero soli di fronte a un complotto universale! Questa paura di essere minacciati da ciò che non è fatto con lo stampino... Ah, la ferocia del potente quando fa la vittima! Del ricco quando la povertà si accampa alla sua porta! Delle coppie autenticate con marca da bollo di fronte alla divorziata rovinafamiglie! Dell'autoctono che sente odor di profugo! Del credente che annusa il miscredente! Del laureato di fronte all'insondabile idiota! Dell'imbecille fiero di essere nato da qualche parte! E ciò vale anche per il capetto di periferia che vede il nemico sul marciapiede di fronte... Come diventano pericolosi, quelli che hanno capito i codici, di fronte a quelli che non li posseggono!

Neanche i bambini si fidano.

5.

Non l'ho mai misurata così bene come in una mattina di solitudine, la paura cattiva di colui che si sente escluso di fronte a coloro che lo sono davvero.

Quella mattina non mi alzo. Minne è nel Sudest della Francia. Invitata in veste di scrittrice a incontrare gli studenti di un istituto tecnico nella periferia di Tolosa. Oggi, quindi, niente risveglio amoroso con il favore della caffeina. Dovrei mettermi subito a lavorare al mio libro e invece rimango a letto, con lo sguardo nel vuoto, come un tempo davanti al compito che non facevo ("Non disturbate il bambino, sta studiando"). Finisco per accendere la radio. Il mio canale preferito. È il giorno e l'ora di uno dei miei programmi prediletti. Una volta alla settimana vi si danno appuntamento alcune menti illustri che parlano con il tono oggi raro delle persone che non hanno nulla da vendere. Si confrontano pacatamente sui saggi che hanno scritto con riferimenti pertinenti a quelli che hanno letto. Proprio ciò di cui ho bisogno in questa mattina pigra; qualcuno che pensi per me. Non ditelo a nessuno, consumerò pensiero con la stessa pigrizia con cui potrei spararmi una qualunque soap-opera. Una delizia. Alla sigla ho già l'acquolina in bocca e, sin dalla presentazione, mi lascio scivolare sulle frasi, sollevare mollemente dalle spirali dell'argomentazione, e mi sento bene, in territorio conosciuto, rassicurato dall'affabilità delle voci, dalla scioltezza del fraseggio, dalla serietà del tono, dall'acutezza delle analisi, dalla perfetta béchamel con cui il conduttore lega le tesi in campo, smorza gli eventuali contrasti e sviluppa abbondantemente il proprio pensiero... Ho sempre amato questo programma, anche per le sue qualità di eleganza; la realtà viene levigata fino a rendermela leggibile, se non rassicurante.

Succede che stamattina la conversazione verta intorno ai giovani delle *banlieue*. A un certo punto le mie tre voci parlano di un film. Rizzo le orecchie. Un film che sembra aver traumatizzato il conduttore. È un film sulla *banlieue*. No, è un film su una commedia di Marivaux. No, è un film su un progetto pedagogico. Sì, ecco, è un film su dei ragazzi di una scuola superiore di periferia che mettono in scena una commedia di Marivaux sotto la direzione dell'insegnante di francese. Si intitola *La schivata*. Non è un documentario. È un film con la sceneggiatura di un documentario. Non racconta la realtà, tenta di darne la rappresentazione più fedele possibile. Ascolto tanto più attentamente poiché ho visto il film in questione. Non ero molto convinto, va detto: un altro film sulla scuola, e ambientato nella *banlieue*, per l'ennesima volta... E tuttavia l'ho visto, spinto forse da una curiosità atavica. (L'anima dello zio Jules: "Vai a vedere *La schivata*, nipote, senza discutere!".) E mi è piaciuto: attraverso il teatro, una professoressa guida i suoi allievi sui sentieri delle più belle lettere. La classe mette in scena *Il gioco dell'amore e del caso* di Marivaux. Si vedono ragazzi dedicare a questo esercizio un'energia e una concentrazione che non sono turbate né dalle loro storie d'amore, né dai loro problemi di famiglia o di quartiere, né dai loro piccoli traffici, né dalle loro difficoltà di linguaggio né tantomeno dalla reputazione del teatro, questa attività da "buffoni". Sono uscito da quel cinema rafforzato nella certezza che traggo dalla maggior parte delle mie visite nelle scuole di periferia: lo zio Jules non è morto! Esistono ancora oggi degli zii Jules e delle zie Julie che, nonostante l'incredibile difficoltà di queste operazioni di salvataggio, vanno a prendere i ragazzini ovunque si trovino per elevarli all'altezza di loro stessi attraverso i sentieri della lingua francese, nella fattispecie quella del XVIII secolo.

Non la pensa così il conduttore. Niente affatto rassicurato, lui. Nessunissimo entusiasmo. È uscito dal cinema orripilato dal linguaggio usato da quei ragazzi appena smettono di frequentare Marivaux. Mio dio, quel tono! Quelle urla continue! Quella violenza! Quella povertà di vocabolario! Quei versi! La volgarità a sfondo sessuale di quegli insulti! Ah, come ha sofferto la lingua francese in lui durante il film! Come ha avuto male al suo francese! Come l'ha sentito minacciato nelle sue stesse fondamenta! Che dico minacciato, condannato! Irrimediabilmente condannato da quell'odio linguistico! Che fine avrebbe fatto la lingua francese? Che fine avrebbe fatto di fronte a quelle orde di somari urlanti?

Purtroppo non ho registrato quella messa in *onta*... ma il succo rimane questo; non era più un uomo a parlare di quegli adolescenti, era la paura nell'uomo. I suoi interlocutori parevano del resto un po' stupiti. L'ascoltatore intuiva i mezzi cenni fatti per tranquillizzarlo, ma era inutile: la paura era più forte.

A momenti mi si rizzavano i capelli in testa e stavo quasi per dirmi, tutto solo nel lettone: Sei pazzo ad aver lasciato tua moglie andare tra quei selvaggi, se la mangeranno in un sol boccone! Invece mi è venuta voglia di stringere tra le braccia il conduttore e di rassicurarlo. Su, su, calmati, lo sai che il povero parla forte, è una delle sue caratteristiche, una costante storica e geografica, parla forte da sempre e nel mondo intero, parla tanto più forte in quanto è circondato da poveri, il povero, che parlano forte anche loro, per farsi sentire, capisci? Il povero ha le pareti sottili. E impreca molto, è vero, ma senza pensare male, stai tranquillo, e più la povertà scende verso il Sud, più le imprecazioni del povero sono a sfondo sessuale, o religioso, o tutti e due insieme, ma in modo naturale, per così dire, perché non ha incontrato te sulla sua strada a dirgli che era male, per esempio quando ero bambino io, "*Puttana madonna*!"* dicevano i poveri del mio villaggio, in continuazione, "Puttana madonna!", poveri venuti dal profondo Sud dell'Italia, eppure non ce l'avevano né con la puttana del sabato sera né con la Vergine Maria della domenica mattina, era tanto per dire, quando si davano una martellata sulle dita, tutto qua! Una martellata sull'indice e oplà, un piccolo ossimoro: "Puttana madonna!"... Lo sapevi, tu, che i poveri praticano l'ossimoro? Ebbene sì! È un punto in comune con noi, guarda un po'! Noi la penna, loro il martello, ma tutti insieme pratichiamo l'ossimoro! Incoraggiante, no? Dovresti essere rassicurato, tu che hai paura che l'ondata del loro gergo spazzi via tutte le sottigliezze della nostra lingua! Ah! un'altra cosa, non aver paura del loro gergo. Il gergo del povero di oggi è come l'*argot* del povero di ieri, né più né meno! Da sempre il povero parla *argot*. Lo sai perché? Per fare credere al ricco di avere qualcosa da nascondergli! Non ha niente da nascondere, ovviamente, è troppo povero, solo piccoli traffici, minuzie, ma ci tiene a far credere che nasconde chissà che, un universo cui noi non avremmo accesso, e così vasto che lui avrebbe bisogno di una intera lingua per esprimerlo. Ma non c'è alcun mondo, è ovvio, e non c'è alcuna lingua. Solo un piccolo lessico di connivenza, giusto per tenersi caldo, per camuffare la disperazione. Non è una lingua, l'*argot*, solo un lessico, perché la loro grammatica, dei poveri, è la nostra, ridotta al minimo, certo, soggetto, verbo, complemento, ma la nostra, la tua, stai tranquillo, la tua grammatica francese, la grammatica nostra, i poveri ne hanno bisogno, della nostra grammatica, per capirsi tra di loro. Resta il loro lessico, certo, il lessico di questi giovani dell'ultimo anello periferico, un lessico che tu reputi spaventosamente povero (e, considerato dalle tue vette, non c'è da dubitarne), ma anche in questo caso stai pur tranquillo, è talmente povero, questo lessico del povero, che la maggior parte delle parole viene ben presto spazzata via dal vento della storia, briciole, briciole, troppo poco pensiero a far da zavorra... Quasi nessuna parola compare sulle pagine del dizionario: *meuf* (donna), *teuf* (festa), *keuf* (poliziotto), per esempio, per questi ragazzi di oggi, è tutto ciò che ho trovato, ho cercato senza troppa convinzione, devo dire, solo un quarto d'ora, ma ho trovato solo *meuf*, *teuf*, *keuf* sul dizionario, nient'altro, poca roba, vedi, tre paroline comunissime, e che scompariranno appena girata la pagina dell'epoca, i dizionari garantiscono solo una briciola di eternità...

Un'ultima cosa, per tranquillizzarti del tutto: vai alla posta, apri la porta del tuo municipio di zona, prendi la metropolitana, entra in un museo o in un ufficio della previdenza sociale, e vedrai, vedrai, saranno la madre, il padre, il fratello o la sorella maggiori di questi giovani dal linguaggio disdicevole ad accoglierti, dietro lo sportello. Oppure fai come me, ammalati, risvegliati all'ospedale, e riconoscerai l'accento del giovane infermiere che spingerà la tua barella verso la sala operatoria.

"Tranquillo, capo, adesso ti rifanno nuovo!"

6.

E il colmo è che, nelle scuole di periferia dove sono invitato, una delle primissime domande che gli studenti mi fanno riguarda la crudezza del mio linguaggio. Perché tante parolacce nei miei romanzi? (Eh sì, amico mio, i tuoi adolescenti così terrificanti manifestano la tua stessa preoccupazione: perché tanta violenza linguistica?) Certo, questa domanda me la fanno un po' per compiacere il loro insegnante, a volte per cercare di mettermi in imbarazzo, ma anche perché la parolaccia, per loro, diventa davvero ingombrante solo quando è scritta. All'orale "cazzocenefrega", "cenesbattelaminchia" per tutto l'intervallo, si "vaffanculeggia" a destra e a manca, ma trovare la parola "cazzo" o la parola "minchia" o il "vaffanculo" nero su bianco, in un libro, mentre il loro posto abituale è sulle pareti dei cessi, questa poi!...

Del resto, il più delle volte, a questo punto della nostra conversazione si intavola tra gli studenti e me un dialogo sulla lingua francese: a partire dall'*argot* dei miei romanzi, a partire dall'*argot* come linguaggio di sostituzione, di dissimulazione, e in ogni caso di connivenza, a proposito del suo uso, nell'aggressività, certo, ma anche nell'espressione dell'affetto (più delle altre, le parole in *argot* sono sensibili al tono, non hanno eguali nel passare dall'insulto alla carezza), a proposito delle sue origini antichissime in una Francia che lavora da secoli alla propria unità linguistica, a proposito delle sue varietà: *argot* della malavita, *argot* dei quartieri, dei mestieri, delle classi sociali, delle comunità, a proposito della sua progressiva assimilazione da parte della lingua dominante e del ruolo che, da Villon a oggi, la letteratura svolge in questa lenta digestione (da cui la presenza delle parolacce nei miei romanzi)... E, pian piano, eccoci a parlare della storia delle parole:

"Perché le parole hanno una storia, mica ci cadono dalla bocca come un uovo di giornata! Le parole evolvono, le loro vite sono imprevedibili quanto le nostre. Alcune finiscono col dire il contrario di quello che dicevano all'inizio: il sostantivo 'ameba', per esempio, che Mouloud qui presente ha appena usato in senso figurato per sfottere la sua compagna a suo dire troppo tranquilla, deriva da una parola greca che significa 'cambiamento', figuratevi un po'...

Le parole vanno alla deriva fino all'*argot*. Prendete la povera "vacca", tranquilla nei campi, non dava fastidio a nessuno, eppure con il passare dei secoli ha prodotto derivati pieni di connotazioni negative, il tizio sempre "stravaccato" sul divano, l'impresa che "va in vacca", la politica come un "mercato delle vacche", l'ultimo film una gran "vaccata" fino a portarci all'esclamazione di un sonoro "porca vacca!".

Fu durante una di queste conversazioni che una professoressa chiese ai suoi studenti:

"Qualcuno può farmi un esempio di una parola 'normale' diventata una parola del vostro gergo?".

" ... "

"Forza! Una parola che usate cento volte al giorno, quando qualcuno o qualcosa non vi va giù."

" ... "

" ... "

"'Buffone', prof? È un buffone?"

"Certo, buffone, per esempio."

" ... "

'Buffone' l'ho sentito per la prima volta all'inizio degli anni novanta, entrando in classe, una mattina in cui due galletti si accingevano a fare a botte.

"Mi ha detto che sono un buffone, prof!"

La parola, che risaliva al XIII secolo, quando indicava gli intrattenitori di corte, mi esplose davanti quella mattina come un sinonimo di "sfigato". Sono passati altri quindici anni e oggi, per gli studenti di questa classe come per quelli della *Schivata* e più genericamente per i ragazzi del loro ambiente e della loro generazione, la parola indica tutti quelli che non condividono i loro codici, in altri termini quelli che i giovani dell'epoca della mia vecchia mamma, che pure lo erano, chiamavano già i borghesi ("Ha davvero una mentalità troppo borghese"...)

"Borghese"... Ecco una parola che ne ha viste di tutti i colori! Dal disdegno dell'aristocratico alla rabbia dell'operaio, passando per il furore della gioventù romantica, l'anatema dei surrealisti, la condanna universale dei marxisti-leninisti e il disprezzo degli artisti in genere, la storia l'ha a tal punto infarcita di connotazioni spregiative che nessun figlio della borghesia si definisce apertamente borghese senza un vago sentimento di vergogna ontologica.

Paura del povero nel borghese, disprezzo del borghese nel povero... Ieri il *blouson noir* della mia adolescenza faceva già paura al borghese, poi venne il teppista della mia giovinezza a spaventare il benpensante; oggi sono i giovani delle *banlieues* a terrorizzare il buffone. Eppure, come il borghese di ieri non aveva occasione di incontrare sulla sua strada il *blouson noir*, il buffone di oggi non rischia di incrociare sulla propria uno di questi adolescenti relegati nei loro casermoni.

Con quanti ragazzini di periferia ha avuto personalmente a che fare il nostro presentatore spaventato dagli adolescenti della *Schivata*? Riesce a contarli almeno sulle dita di una mano? Non ha importanza, gli basta sentirli parlare in un film, ascoltare trenta secondi la loro musica alla radio, vedere bruciare delle auto durante una rivolta nelle *banlieues* per essere colto da un generico terrore e designarli come l'esercito di somari che annienterà la nostra civiltà.

V

MAXIMILIEN
o il colpevole ideale

I prof ci fanno uscire di testa!

1.

Belleville, una sera d'inverno, già buio, rue Julien-Lacroix, torno a casa, pipa in bocca, borsa della spesa, perso nei miei pensieri, quando un tizio appoggiato a un muro mi ferma abbassando il braccio come la sbarra di un parcheggio. Piccolo tuffo al cuore.

"Fammi accendere!"

Così, senza alcun riguardo per la quarantina d'anni che ci separano. È un ragazzone di diciotto, vent'anni, scuro, ben messo, che fa quello calmo, sicuro dei propri muscoli e di ciò che vuole: esige da accendere, gli diamo da accendere, punto e basta.

Poso la borsa della spesa, tiro fuori l'accendino, tendo la fiamma verso la sua sigaretta. Lui abbassa la testa, aspira incavando le guance e per la prima volta mi guarda al di sopra della punta incandescente. A questo punto, l'atteggiamento cambia. Sbarra gli occhi, lascia ricadere il braccio, si leva la sigaretta di bocca e balbetta:

"Oh! Scusi, signore...".

Esitazione.

"Lei non è?... Lei scrive dei?... È uno scrittore, no?"

Potrei dirmi con un fremito di piacere: Ecco, un lettore, ma un antico istinto mi suggerisce qualcos'altro: Questo qui è uno studente, il suo professore di francese lo starà facendo lavorare su un *Malaussène,* tra un secondo mi chiederà di dargli una mano.

"Sì, scrivo libri, perché?"

E, come volevasi dimostrare:

"Perché la nostra prof ci sta facendo leggere *La fata*, *La fata*..."

Bene, sa che c'è la parola "fata" nel titolo.

"Parla di Belleville e delle vecchiette, e...."

"*La fata carabina*, sì. E allora?"

Qui torna a essere un mocciosetto che si torce le dita nella propria testa prima di porre la domanda cruciale:

"Dobbiamo fare un'analisi del testo. Non mi potrebbe aiutare, dirmi due o tre cose?".

Riprendo la mia borsa della spesa.

"Ti sei reso conto di come mi hai chiesto da accendere?"

Imbarazzo.

"Volevi mettermi paura?"

Proteste.

"No, signore, lo giuro su mia mamma!"

"Lascia in pace tua madre. Volevi mettermi paura." (Mi guardo bene dal precisare che ci è quasi riuscito.) E non sono il primo della giornata. "A quante persone hai parlato così, oggi?"

"..."

"Solo che poi mi hai riconosciuto e adesso vuoi che ti aiuti. Ma quando non devi fare un compito su di loro, come fanno le persone, con il tuo braccio che gli taglia la strada? Hanno paura di te e tu sei soddisfatto, è così?"

"Ma no, dai..."

"Eppure il rispetto lo conosci; è una parola che pronunci cento volte al giorno, no? Mi hai mancato di rispetto e vorresti che ti aiutassi?"

"..."

"Come ti chiami?"

"Max."

Completa rapidamente:

"Maximilien!".

"Be', Maximilien, hai appena perso una grande occasione. Abito lì, vedi, in rue Lesage, quelle finestre là in alto. Se mi avessi chiesto da accendere educatamente, saremmo già lì e ti aiuterei a fare il tuo compito. Ma adesso no, non se ne parla neanche."

Ultimo tentativo:

"Su, signor Pennac...".

"Un'altra volta, Maximilien, quando ti rivolgerai alle persone in modo rispettoso, ma stasera no, stasera mi hai fatto arrabbiare."

Ripenso spesso al mio incontro con Maximilien. Strana esperienza, per lui come per me. Nell'arco di un secondo ho tremato davanti al teppistello e mi sono tirato indietro davanti allo studente. Lui ha sballato intimidendo il buffone poi è impallidito davanti alla statua di Victor Hugo (in rue Lesage, a Belleville, alcuni dei ragazzini che ho visto crescere mi chiamavano scherzando il signor Hugo). Maximilien e io abbiamo avuto dell'altro due immagini: il teppistello da temere o lo studente da aiutare, il buffone da intimidire o lo scrittore cui chiedere una mano. Fortunatamente il bagliore di un accendino le ha confuse. In un secondo siamo stati contemporaneamente il teppistello *e* il liceale, il buffone *e* il romanziere; la realtà ne ha guadagnato in termini di complessità. Se non fossimo andati oltre l'episodio della sigaretta e Maximilien non mi avesse riconosciuto, io sarei tornato a casa vergognandomi di aver provato un po' di strizza davanti a un randa e lui esaltato di aver messo caga a un vecchio buffone. Lui avrebbe potuto vantarsene con gli amici, e io avrei potuto lamentarmene davanti a un microfono. Insomma, la vita sarebbe rimasta semplice: il teppistello di periferia che umilia il probo cittadino, una visione del mondo conforme alle ossessioni contemporanee. Fortunatamente la fiamma di un accendino ha rivelato una realtà più complessa: l'incontro di un adolescente che ha molto da imparare e di un adulto che ha molto da insegnargli. Tra le altre cose, questa: se vuoi diventare imperatore, Maximilien, anche solo di te stesso, non giocare più a spaventare il buffone, non aggiungere un grammo di verità alla statua del somaro spaventevole che i falsi fifoni con il microfono in mano costruiscono tranquillamente alle tue spalle.

"Come no..."

Rileggo quello che ho scritto e sento una risatina interiore.

"Come no, come no..."

Non c'è dubbio, questa ironia viene ancora da lui, il somaro che ero.

"Gran belle frasi, niente da dire! Un fior di lezione di morale, ha ricevuto, il Maximilien!"

Per poi tornare sul solito tasto:

"Una piccola botta di autocompiacimento?".

"..."

"Alla fin fine, non hai aiutato quello studente..."

"..."

"Perché si è comportato da maleducato, giusto?"

"..."

"E sei soddisfatto di te stesso?"

"..."

"Che ne hai fatto dei tuoi princìpi? I bei princìpi esposti sopra. Ti ricordi *La paura di leggere si cura con la lettura, quella di non capire con l'immersione nel testo...* Dichiarazioni del genere. Te ne fai un baffo?"

"..."

"In realtà quella sera, con Maximilien, hai cannato in pieno! Troppo infuriato, forse, o troppo spaventato, capita anche a te di avere paura, specie quando sei stanco. Sai benissimo che dovevi prendere sottobraccio quel ragazzo, portarlo a casa tua, aiutarlo a fare la sua analisi del testo, e discutere con lui se necessario, anche a costo di fargli un cazziatone, ma *dopo* aver fatto il compito! Rispondere alla richiesta, era questa la cosa importante, visto che per fortuna c'era una richiesta! Formulata male? Certo! Interessata? Tutte le richieste sono interessate, lo sai benissimo! Sta a te trasformare l'interesse calcolato in interesse per il testo! Ma mollare Maximilien su quel marciapiede per tornartene a casa come hai fatto significava lasciare in piedi il muro che vi separa. Consolidarlo, addirittura! C'è una favola di La Fontaine, al riguardo. Vuoi che te la reciti? Il protagonista sei tu!

Il bambino e il maestro di scuola

Racconto questa per mostrar d'un tale
la stupida burbanza magistrale.
Un Ragazzo, giocando al fiume in riva,
cadde nell'acqua e forse vi periva,
se non avesse un salice afferrato
che, dopo Dio, lo tenne sollevato.
Mentre nell'acqua ci sta fino alla gola,
viene a passare un maestro di scuola.
"Aiuto, aiuto!" grida quel che annega.
Il maestro si ferma, e a lui che prega,
con una voce burbera e nasale,
gli somministra questa paternale:
"Ah scimunito, ah sciocco, ah babbuasso!
Guarda dove si caccia il satanasso.
Andate pure a prender dell'affanno
per questi tristi, oh sì, che vi faranno
morir tisici! ah poveri parenti
a cui tocca di questi malviventi!
Ah i tempi tristi, oh i figli traditori...".
E quando ebbe finito, il tirò fuori.
Quanti non sono al mondo altri pedanti
e brontoloni e critici ignoranti,
razza dotta più in chiacchiere che in scienze,
che Dio conserva a nostra dannazione!
In ogni cosa, a torto od a ragione,
bisogna ch'essi sputino sentenze.
Prima di pena tirami, se puoi,
il bel discorso lo udiremo poi."

3.

Maximilien è la figura del somaro contemporaneo. Sentir parlare della scuola di oggi significa essenzialmente sentir parlare di lui. Dodici milioni e quattrocentomila studenti frequentano ogni anno la scuola in Francia, e all'incirca un milione di questi sono figli di immigrati. Poniamo che duecentomila siano in una situazione di grave difficoltà scolastica. Quanti di questi duecentomila si sono resi protagonisti di violenze verbali o fisiche (insulti ai professori, la cui vita diventa un inferno, minacce, aggressioni, atti vandalici...)? Un quarto? Cinquantamila? Ammettiamolo. Ne consegue che, su una popolazione di dodici milioni e quattrocentomila studenti, lo 0,4% è sufficiente ad alimentare l'immagine di Maximilien, il fantasma terrificante del somaro divoratore di civiltà che monopolizza tutti i nostri mezzi di informazione ogni qualvolta si parla della scuola, ed eccita l'immaginazione di tutti, comprese le persone più lucide.

Supponiamo che sbagli i miei calcoli, che occorra moltiplicare per due o per tre il mio 0,4%, la cifra rimane irrisoria e la paura alimentata contro questi giovani assolutamente vergognosa per gli adulti che siamo.

Adolescente di un quartiere dormitorio o di uno qualsiasi dei casermoni di periferia, nero, arabo o francese purosangue lì relegato, grande amante di griffe e di cellulari, elettrone libero ma che si sposta in gruppo, incappucciato fino al mento, graffitaro di muri e di vagoni della metropolitana, amante di una musica sincopata dai testi durissimi, abituato

179

a parlar forte e noto per pestare duro, presunto *casseur*, spacciatore, incendiario o integralista religioso in erba, Maximilien è l'immagine contemporanea dei sobborghi popolari di un tempo; e se una volta il borghese amava incanaglirsi in rue de Lappe o nelle balere in riva alla Marna dove bazzicavano gli *apaches*, il buffone di oggi ama frequentare Maximilien, ma solo in astratto, nelle immagini cucinate in tutte le salse dal cinema, dalla letteratura, dalla pubblicità e dai media. Maximilien è insieme l'immagine di ciò che fa paura e di ciò che fa vendere, il protagonista dei film più violenti e il testimonial delle marche più note. Se fisicamente (grazie all'urbanistica, al costo degli immobili e alla polizia), Maximilien è confinato ai margini delle grandi città, la sua immagine è per contro diffusa fin nel cuore più danaroso del centro, e con orrore il buffone vede i propri figli vestirsi come Maximilien, adottare la parlata di Maximilien e persino, colmo del raccapriccio, accordare la propria voce ai suoni emessi dalla voce di Maximilien! Da qui a gridare alla morte della lingua francese e alla fine imminente della civiltà non c'è che un passo, brevissimo, compiuto con una paura tanto più squisita in quanto sappiamo che a essere sacrificato è proprio Maximilien.

4.

A ben guardare, Maximilien è il rovescio della medaglia del giovanilismo. La nostra epoca ha fatto della giovinezza un dogma: bisogna essere giovani, pensare giovane, consumare giovane, invecchiare giovani, la moda è giovane, il calcio è giovane, le radio sono giovani, le riviste sono giovani, la pubblicità è giovane, la tivù è piena di giovani, internet è giovane, i vip sono giovani, gli ultimi figli del baby boom ancora vivi hanno saputo rimanere giovani, i nostri stessi uomini politici sono riusciti a ringiovanire. Viva i giovani! Gloria ai giovani! Bisogna essere giovani!

A condizione di non essere Maximilien.

5.

"I prof ci fanno uscire di testa!"

"Ti sbagli. Dalla testa ci sei già uscito. I professori cercano di fartici tornare."

Questa conversazione l'ho avuta in un istituto tecnico dei dintorni di Lione. Per raggiungere la scuola avevo dovuto attraversare una terra di nessuno piena di capannoni di ogni genere dove non avevo incontrato anima viva. Dieci minuti a piedi in mezzo ad alti muri ciechi, silos di cemento con il tetto di eternit, ecco la bella passeggiata mattutina che la vita offriva agli studenti che abitavano nei casermoni circostanti.

Di cosa abbiamo parlato, quel giorno? Della lettura, ovviamente, poi della scrittura, del modo in cui le storie nascono nella mente dei romanzieri, di cosa significa la parola "stile" quando non se ne fa un sinonimo di "come", della nozione di personaggio e della nozione di persona, quindi di bovarismo, del pericolo di indulgervi troppo a lungo una volta chiuso il libro (o visto il film), del reale e dell'immaginario, dell'uno che viene fatto passare per l'altro nei reality show, tutte cose che appassionano gli studenti di ogni estrazione sociale non appena le affrontano seriamente... E, più in generale, abbiamo parlato del loro rapporto con la cultura. Va da sé che era la prima volta in cui incontravano uno scrittore, che nessuno di loro aveva mai assistito a uno spettacolo teatrale, e che pochissimi si erano spinti fino a Lione. Quando ne chiesi il motivo, la risposta non si fece attendere:

"Eh! Mica andiamo lì a farci dare della feccia da tutti quei buffoni!".

Il mondo era in ordine, insomma: la città aveva paura di loro e loro temevano il giudizio della città... Come molti giovani di quella generazione, maschi e femmine, quasi tutti erano così alti che sembravano cresciuti tra i muri dei capannoni in cerca di sole. Alcuni erano alla moda – la *loro* moda, credevano, in realtà uniformemente planetaria – e tutti enfatizzavano quell'accento diffuso dal rap e ostentato anche dai giovani buffoni più trendy del centro dove loro non hanno il coraggio di spingersi.

Finimmo a parlare dei loro studi.

Fu a questo punto della conversazione che intervenne il Maximilien di turno. (Sì, ho deciso di dare a tutti i somari di questo libro, somari di periferia o somari dei quartieri alti, questo bel nome superlativo.)

"I prof ci fanno uscire di testa!"

Era visibilmente il somaro della classe. (Ci sarebbe molto da dire, sull'avverbio "visibilmente", ma è un fatto che i somari si notano subito in una classe. In tutte quelle in cui sono invitato, licei prestigiosi, istituti tecnici o scuole medie di periferia, i Maximilien sono riconoscibili dall'attenzione tesa o dallo sguardo eccessivamente benevolo che rivolge loro l'insegnante quando prendono la parola, dal sorriso anticipato dei compagni, e da un non so che di sfasato nella voce, un tono di scusa o una veemenza appena titubante. E quando tacciono – spesso Maximilien tace – li riconosco dal loro silenzio ostile, così diverso dal silenzio attento dello studente che assimila. Il somaro oscilla perennemente tra lo scusarsi di essere e il desiderio di esistere nonostante tutto, di trovare il proprio posto, o addirittura di imporlo, fosse anche con la violenza, che è il suo antidepressivo.)

"Come sarebbe, i prof vi fanno uscire di testa?"

"Ci fanno uscire di testa, punto e basta! Con tutta quella roba che non serve a niente!"

"Quale sarebbe, questa roba che non serve a niente?"

"Tutto, no! Le... le materie! Non è la vita!"

"Come ti chiami?"

"Maximilien."

"Be' ti sbagli, Maximilien, i prof non ti fanno uscire di testa, cercano di fartici tornare, nella tua testa. Visto che adesso è usurpata da altro."

"Usurpata, la mia testa?"

"Che cosa porti ai piedi?"

"Ai piedi? Ho le mie N, prof!" (Qui il nome della marca.)

"Le tue cosa?"

"Le mie N, ho le mie N!"

"E che cosa sono, le tue N?"

"In che senso, cosa sono? Sono le mie N!"

"Come oggetto, voglio dire, che cosa sono come oggetto?"

"Sono le mie N!"

E poiché non avevo intenzione di umiliare Maximilien, la domanda l'ho rifatta agli altri:

"Che cosa porta ai piedi, Maximilien?".

Ci furono scambi di occhiate, un silenzio imbarazzato; avevamo passato una bella ora insieme, avevamo discusso, riflettuto, scherzato, riso molto, avrebbero voluto aiutarmi, ma era proprio così, Maximilien aveva ragione:

"Le sue N, signore".

"Va bene, sì, ho capito, sono delle N, ma come oggetto, che cosa sono come oggetto?"

Silenzio.

Poi, tutt'a un tratto, una ragazza:

"Ah! Sì, come oggetto! Be', sono delle sneakers!".

"Sì. Ma un nome ancora più generale per indicare quel genere di oggetto?"

"Delle... scarpe?"

"Ecco, esatto, sono delle scarpe, da ginnastica, da tennis, da ballo, scarpette, scarpini o scarponi, tutto quello che volete, ma non delle N! N è la marca e la marca non è l'oggetto!"

Domanda della loro insegnante:

"L'oggetto serve a camminare, la marca a cosa serve?".

Un razzo illuminante in fondo alla classe:

"A tirarsela, prof!".

Risata generale.

L'insegnante:

"Sì, a darsi delle arie".

Nuova domanda da parte della loro prof, che indica il golf di un altro ragazzo.

"E tu Samir, che cosa hai addosso?"

Stessa risposta immediata:

"È il mio L, prof!".

A questo punto ho mimato un'agonia atroce, come se Samir mi avesse avvelenato e io morissi in diretta davanti a lui, quando un'altra voce ha esclamato ridendo:

"No, no, è un golf! Su, rimanga con noi, è un golf, il suo L., è un golf!".

Resurrezione:

"Sì, è il suo golf, e anche se golf è una parola di origine inglese è sempre meglio di una marca! Mia madre avrebbe detto il suo pullover e mia nonna la sua casacchina, vecchia parola 'casacchina', ma sempre meglio di una marca, perché sono le marche, Maximilien, che vi fanno uscire di testa, non i professori! Vi fanno uscire di testa, le vostre marche: le mie N, il mio L, la mia T, il mio X, le mie Y! Vi fanno uscire di testa e intanto vi rubano i soldi, vi rubano le parole, vi rubano anche il corpo, come un'uniforme, fanno di voi delle pubblicità viventi, come i manichini di plastica dei negozi!".

A questo punto racconto loro che quando ero bambino c'erano gli uomini-sandwich e che mi ricordavo ancora di uno di loro, sul marciapiede di fronte a casa mia, un vecchio signore stretto tra due cartelloni che reclamizzavano una marca di senape:

"Le marche fanno la stessa cosa con voi".

Maximilien, mica scemo:

"Solo che a noi non ci pagano!".

Intervento di una ragazza:

"Mica vero, fuori dalle scuole, in centro, prendono i bulli, i fighetti e gli danno un sacco di vestiti gratis così quelli se la tirano in classe. La marca piace un casino ai compagni e così quelli vendono".

Maximilien:

"Che figata!".

Il loro professore:

"Trovi? A me pare che le vostre marche costino molto, ma *valgano* molto meno di voi".

Seguì una discussione approfondita sui concetti di costo e di valore, non i valori venali, ma gli altri, i famosi valori, quelli che si dice loro abbiano perso...

E ci siamo lasciati con una piccola manifestazione verbale: "Li-be-ra-te le parole! – Li-be-ra-te – le parole!" finché tutti i loro oggetti familiari, scarpe, zaini, penne, maglioni, giacche a vento, lettori cd, auricolari, telefonini, occhiali, non ebbero perso la marca per ritrovare il proprio nome.

6.

L'indomani della visita, tornato a Parigi, mentre scende-
vo dalle alture del XX *arrondissement* verso il mio studio, mi
è venuta l'idea di fare una valutazione economica degli studenti che incrociavo lungo il mio tragitto mediante un calcolo sistematico: 100 euro di scarpe da ginnastica, 110 di jeans,
120 di giubbotto, 80 di zainetto, 180 di lettore cd (a 90 decibel per ogni devastante ciclo d'ascolto), 90 euro per il cellulare multifunzione, senza tener conto del contenuto delle loro tasche, che a voler stare bassi si aggirerà minimo sui 50 euro, il tutto montato su roller nuovi di zecca, a 150 euro al paio.
Totale: 880 euro, cioè 5764 franchi per studente, cioè 576.400
franchi della mia infanzia. Ho verificato, nei giorni seguenti,
all'andata come al ritorno, confrontando con i prezzi esposti
nelle vetrine che si trovavano sulla mia strada. Tutti i miei calcoli davano come risultato una cifra intorno al mezzo milione. Ognuno di quegli sbarbati valeva un mezzo milione di
franchi della mia infanzia! È una valutazione media riferita a
un ragazzo della classe media con genitori di reddito medio,
nella Parigi di oggi. Il prezzo di uno studente parigino rimesso
a nuovo, diciamo, alla fine delle vacanze di Natale, in una società che considera i propri giovani innanzi tutto come consumatori, un mercato, un target.
Bambini clienti, dunque, con o senza disponibilità economica, nelle grandi città come nelle *banlieues*, uniti nella
stessa aspirazione al consumo, nello stesso universale aspira-
tore di desideri, poveri e ricchi, grandi e piccoli, maschi e fem-

mine, risucchiati alla rinfusa dall'unica e vorticosa sollecitazione: consumare! Cioè cambiare prodotto, desiderare il nuovo, il più che nuovo, l'ultimo grido! La marca! E farlo sapere in giro! Se le loro marche fossero medaglie, i ragazzini delle nostre città tintinnerebbero come generali da operetta. Se-
rissimi programmi televisivi o radiofonici vi spiegano a ogni
piè sospinto che è in gioco la loro identità. Quest'anno, il primo giorno di scuola, un'importante sacerdotessa del marketing dichiarava alla radio, con il tono convinto di un'antena-
ta piena di saggezza, che la Scuola doveva aprirsi alla pubblicità, la quale sarebbe una categoria dell'informazione, a sua
volta alimento primo dell'istruzione. Cosa Tutta Da Dimostrare. Ho drizzato le orecchie. Che diavolo sta dicendo, mia
cara Madame Marketing, con la sua voce pacata da nonna,
dal timbro così perfetto? La pubblicità insieme alle scienze,
alle arti e alle lettere! Nonnina, ma dice sul serio? Diceva sul
serio, la furbacchiona. Terribilmente sul serio. Perché non
parlava a nome proprio, ma in nome della vita quale è! E di
colpo mi sono raffigurato la vita secondo Nonna Marketing:
un gigantesco centro commerciale, senza pareti, senza limiti,
senza frontiere e senza altro scopo all'infuori del consumo!
E la scuola ideale secondo la Nonna: un serbatoio di poten-
ziali consumatori sempre più avidi! E la missione degli insegnanti: preparare gli studenti a spingere eternamente il car-
rello nell'ipermercato della vita! Finiamola di tenerli lontani
dalla società dei consumi! scandiva la Nonna, devono uscire
"informati" dal ghetto scolastico! Il ghetto scolastico, così la
Nonnina chiamava la Scuola! E l'istruzione si riduceva al-
l'informazione! Hai sentito, zio Jules? I bambini che salvavi
dall'idiotismo famigliare, che strappavi alla fitta boscaglia dei
pregiudizi e dell'ignoranza, era per rinchiuderli nel ghetto
scolastico, hai capito! E lei, mia violoncellista di Le Blanc-
Mesnil, lo sapeva che facendo nascere nei suoi studenti la passione della letteratura anziché quella della pubblicità si com-
portava solo come l'ottusa carceriera del ghetto scolastico?
Ah! Insegnanti, quando vi deciderete a dar retta alla Nonnina? Quando vi metterete in testa che l'universo non è da capire ma da consumare? Nelle mani dei vostri studenti, cari

prof di filosofia, non dovete mettere né i *Pensieri* di Pascal, né il *Discorso sul metodo* di Descartes, né la *Critica della ragion pura*, né Spinoza né Sartre, bensì il Grande Catalogo di ciò che si fa di meglio nella vita quale è! Ah, Nonnaccia, ti ho riconosciuta dietro il tuo travestimento di parole, sei proprio il lupo cattivo delle fiabe! Camuffata nei tuoi ragionamenti incantatori, ti sei piazzata con le fauci spalancate all'uscita delle scuole, per divorarti in un sol boccone i cappuccetti rossi consumatori, Maximilien in testa, ovviamente, che è più vulnerabile degli altri. Squisita, da mangiare, quella testa piena di voglie che i professori tentano di strapparti, poveretti, così poco attrezzati, con le loro due ore di questo, le loro tre ore di quello, contro la tua formidabile artiglieria pubblicitaria! Fauci spalancate, Nonnaccia, all'uscita da scuola, e funziona! Dalla metà degli anni settanta, funziona sempre meglio! Quelli che ti pappi oggi sono i figli di quelli che ti pappavi ieri! Ieri miei studenti, oggi i loro figli. Famiglie intere che prendono i loro minimi desideri per bisogni vitali nella spaventosa mistura della tua digestione argomentata! Ridotti tutti, grandi e piccoli, alla stessa condizione di infanzia perennemente desiderante. Ancora! Ancora! grida dal fondo del tuo stomaco il popolo dei consumatori consumati, figli e genitori insieme. Ancora! Ancora! Ed è ovviamente Maximilien quello che grida più forte.

7.

Mi è rimasto l'amaro in bocca lasciando i miei periferici lionesi. Quei ragazzi erano abbandonati in un deserto urbano. La stessa scuola era invisibile, persa nel labirinto dei capannoni. Il loro quartiere dormitorio non era molto più allegro... Non un bar in vista, non un cinema, niente di vivo, niente su cui posare lo sguardo se non quelle enormi pubblicità che reclamizzavano oggetti fuori dalla loro portata... Come rimproverarli di quell'eterna posa, di quell'immagine di sé costruita per lo specchio pubblico del gruppo? È molto facile irridere il loro bisogno di attirare l'attenzione, loro che sono a tal punto nascosti al mondo e che hanno così poco da vedere! Cos'altro si offre loro, se non la tentazione di esistere *in quanto immagini*, destinati come sono alla disoccupazione, loro a cui i casi della storia hanno quasi sempre negato un passato e sottratto una geografia? Su cosa possono basarsi – e riposarsi, e dimenticarsi un po', e *ricostituirsi* – se non sul gioco delle apparenze? Poiché è questa l'identità secondo Nonna Marketing: vestire i giovani di apparenza, soddisfare il perenne desiderio di fotogenia... Dio del cielo, che rivale, per gli insegnanti, questa venditrice di immagini bell'e pronte!

Nel treno che mi riporta indietro da Lione, penso che tornando a casa non ritrovo solo la mia casa: torno nel cuore della mia storia, posso rannicchiarmi dentro la mia geografia. Quando varco la mia porta, entro in un luogo in cui ero già io ben prima della mia nascita: ogni oggetto, ogni libro della mia biblioteca mi confermano la mia identità secolare... Non è molto difficile, in queste condizioni, sottrarsi alla tentazione dell'immagine.

Tutte cose di cui quella sera parliamo, Minne e io:

"Non sottovalutare quei ragazzi," mi dice, "devi tener conto anche della loro energia! E della loro lucidità, una volta passata la crisi dell'adolescenza. Molti se la cavano benissimo".

E mi cita i nomi dei nostri amici che se la sono cavata. Tra questi, Ali, in particolare, che avrebbe potuto benissimo finire male e che oggi si rituffa nel cuore del problema per salvare gli adolescenti più a rischio. E poiché sono vittime dell'immagine, è proprio attraverso l'uso delle immagini che Ali ha deciso di tirarli fuori. Li arma di videocamere e insegna loro a filmare la propria adolescenza così com'è, al di là delle apparenze.

Conversazione con Ali (estratto)

"Sono ragazzini con gravi difficoltà scolastiche," mi spiega, "il più delle volte la madre è sola, alcuni hanno già avuto problemi con la giustizia, non vogliono sentire parlare degli adulti, si ritrovano in classi speciali, qualcosa di simile alle tue classi differenziali degli anni settanta, presumo. Prendo i capetti, i bulletti di quindici o sedici anni, li isolo temporaneamente dal gruppo, perché è il gruppo a ucciderli, sempre, a impedirgli di costituirsi, gli metto in mano una videocamera e gli faccio intervistare uno dei compagni, uno che si scelgono loro. Fanno l'intervista soli in un angolo, lontano dagli sguardi, poi tornano e guardiamo il filmato tutti insieme, stavolta con il gruppo. E va sempre allo stesso modo: l'intervistato fa il suo solito show davanti all'obbiettivo, e quello che filma sta al gioco. Fanno i cretini, esasperano il loro accento, fanno i ganassa con il loro lessico da quattro soldi berciando più che possono, come facevo io quando ero ragazzino, la mettono giù pesantissima, come se si rivolgessero al gruppo, come se l'unico spettatore possibile fosse il gruppo, e durante la proiezione i compagni si spisciano dal ridere. Proietto il filmato una seconda, una terza, una quarta volta. Le risate si diradano, diventano meno convinte. L'intervistatore e l'intervistato cominciano ad avvertire qualcosa di strano, che non riescono a definire. Alla quinta o alla sesta proiezione, tra loro e il pubblico serpeggia un vero e proprio imbarazzo. Alla settima o all'ottava (ti assicuro, mi è capitato di proiettare nove volte lo stesso filmato!), tutti hanno capito, senza che io dovessi spiegarlo, che ciò che viene a galla nel filmato è la posa, la buffonaggine, la recita, la loro commedia abituale, le loro mimiche di gruppo, tutte le loro solite scappatoie, e che questo non ha alcun interesse, zero, alcuna realtà. Quando sono giunti a questo stadio di lucidità, interrompo le proiezioni e li mando con la videocamera a rifare l'intervista, senza ulteriori spiegazioni. Questa volta si ottiene qualcosa di più serio, che ha un nesso con la loro vita reale: si presentano, dicono il loro nome, il loro cognome, parlano della loro famiglia, della loro situazione scolastica, ci sono dei silenzi, cercano le parole, li vedi riflettere, sia il ragazzo che risponde sia quello che fa le domande, e pian piano vedi *apparire l'adolescente* in quegli adolescenti, smettono di essere dei giovani che giocano a fare i duri, tornano a essere ragazzi e ragazze della loro età, quindici, sedici anni, la loro adolescenza sbuca dietro la loro apparenza, si impone, i vestiti, i cappellini tornano a essere degli accessori, la loro gestualità si attenua, istintivamente colui che filma stringe il campo, zooma, adesso ciò che conta è il volto, come se l'intervistatore *ascoltasse il volto dell'altro*, e ciò che appare su quel volto è lo sforzo di capire, come se per la prima volta si considerassero quali sono: fanno conoscenza con la complessità."

8.

Dal canto suo, Minne mi racconta che nelle classi delle elementari in cui viene invitata fa un gioco che ai bambini piace moltissimo: il gioco del villaggio. È un gioco molto semplice: consiste nel chiacchierare con i piccoli per scoprire i tratti salienti del loro carattere, le loro inclinazioni, i loro desideri, il pallino dell'uno e dell'altro e poi trasformare la classe in un villaggio in cui ognuno ha il proprio posto, ritenuto indispensabile dagli altri: la panettiera, il postino, la maestra, il meccanico, la salumaia, il dottore, la farmacista, l'agricoltore, l'idraulico, il musicista, ognuno ha il proprio posto, compresi quelli per cui lei inventa mestieri immaginari, indispensabili come la raccoglitrice di sogni o il pittore di nuvole...

"E che ne fai del teppista? Che ne fai di quello 0,4%, del teppistello?"

Sorride:

"Il poliziotto, ovvio".

9.

Ahimè, non è possibile escludere il caso del vero teppista, del teppista assassino, quello che, anche per gioco, non potremo mai trasformare in un poliziotto. Rarissimo, ma esiste. Nella scuola come altrove. In venticinque anni di insegnamento, su circa duemilacinquecento allievi, devo averlo incontrato una o due volte. L'ho visto anche in corte d'assise, questo adolescente dall'odio precoce, dallo sguardo gelido, che pensiamo finirà sulle pagine di cronaca nera perché non sa controllare alcuna pulsione, non sa gestire i propri istinti, coltiva la rabbia, premedita la vendetta, ama fare del male, terrorizza i testimoni e rimane assolutamente impermeabile al rimorso una volta commesso il crimine. Quel ragazzo di diciotto anni, per esempio, che spezzò la colonna vertebrale del giovane K. a colpi di ascia per il semplice motivo che costui era del quartiere di fronte... O quell'altro, di quindici anni, che pugnalò il professore di francese. Ma anche quella ragazzina educata in scuole private, pessima studentessa di giorno e di notte seduttrice di quarantenni che consegnava a due complici, della sua età e del suo ambiente, che li seviziavano a morte per derubarli. Dopo l'interrogatorio, domandò ai poliziotti allibiti se poteva tornare a casa.

Questi non sono adolescenti qualsiasi. Una volta spiegato con tutte le cause sociopsicologiche immaginabili, il crimine rimane il mistero della nostra specie. Non stupisce che la violenza fisica aumenti con la pauperizzazione, l'isolamento, la disoccupazione, le tentazioni della società consumistica, ma che un ragazzo di quindici anni premediti di pugnalare il proprio professore – e lo faccia! – rimane un atto patologicamente singolo. Farne, a suon di titoli di prima pagina e programmi televisivi, il simbolo di una certa categoria di giovani, in un luogo preciso (le scuole di *banlieue*), significa far passare quei giovani per una banda di assassini e la scuola per un focolaio criminogeno.

In materia di omicidi, è utile ricordare che, se escludiamo le aggressioni a mano armata, le risse, i delitti a scopo di rapina e i regolamenti di conti tra bande rivali, l'80% circa dei delitti di sangue avviene nel contesto famigliare. È soprattutto a casa che gli uomini si uccidono, sotto il loro tetto, nella fermentazione segreta del loro focolare domestico, nel cuore della loro personale desolazione.

Far passare la scuola per un luogo criminogeno è, in sé, un crimine insensato contro la scuola.

10

È ormai opinione comune che la violenza sia entrata solo di recente nella scuola, attraverso le sole porte della *banlieue* e le sole vie dell'immigrazione. Un tempo non c'era. È un dogma, e come tale indiscutibile. Eppure conservo il ricordo di poveri diavoli torturati dalla nostra tremenda gazzarra, come negli anni sessanta quel professore esasperato che in prima superiore ci ha tirato addosso la cattedra, o quel bidello portato via con le manette ai polsi per aver pestato uno studente che l'aveva spinto alla follia, e, all'inizio degli anni ottanta, quelle ragazzine dall'aria tranquilla che avevano mandato il professore in cura del sonno (ero suo supplente) perché aveva avuto la pretesa di fare frequentare loro *La principessa di Clèves*, che quelle signorine reputavano "troppo palloso"...

Negli anni settanta, ma dell'Ottocento questa volta, Alphonse Daudet esprimeva già la sua pena di sorvegliante torturato:

> Presi possesso dell'aula di studio. Trovai lì una cinquantina di furfanti, montanari paffuti dai dodici ai quattordici anni, figli di mezzadri arricchiti, spediti a scuola dai genitori che volevano farne dei piccoli borghesi, a centoventi franchi al trimestre. Rozzi, insolenti, parlavano tra loro un grossolano dialetto delle Cevenne di cui non capivo nulla, e avevano quasi tutti quella bruttezza tipica dell'infanzia che si trasforma, grosse mani rosse piene di geloni, voci da galline raffreddate, lo sguardo abbrutito e, come se non bastasse, l'odore del collegio. Mi odiarono subito, senza conoscermi. Per loro ero il nemico, il secondi-

no, e dal giorno in cui mi sedetti in cattedra, tra di noi fu la guerra, una guerra continua, senza tregua, di ogni istante.

Ah! Crudeli bambini, quanto mi fecero soffrire!

Vorrei parlarne senza rancore, queste pene sono così lontane! E invece no, non posso; e, guardate un po', nel momento stesso in cui scrivo queste righe sento la mano tremarmi di febbre e di emozione. Mi sembra di essere ancora lì.

(...)

È così terribile vivere circondato dal malanimo, avere sempre paura, essere sempre sul chi vive, sempre armato, è così terribile punire – si fanno ingiustizie anche senza volerlo – , così terribile dubitare, vedere ovunque tranelli, non mangiare tranquilli, non trovare riposo nel sonno, pensare sempre, anche negli attimi di tregua: "Ah mio Dio, che cosa mi faranno adesso?".

Suvvia, Daudet, lei esagera: le abbiamo detto che bisogna aspettare almeno un secolo prima che la violenza entri nella scuola! E non dalle Cevenne, Daudet, ma dalla *banlieue,* solo dalla *banlieue*!

11.

Un tempo si rappresentava il somaro in piedi, dietro la lavagna, con in testa un cappello da asino. Questa immagine non stigmatizzava alcuna categoria sociale particolare, mostrava un bambino qualsiasi, messo nell'angolo perché non aveva studiato la lezione, non aveva fatto i compiti, oppure aveva fatto cagnara nell'ora di Daudet, alias *Cosino*. Oggi, e per la prima volta nella nostra storia, un'intera categoria di bambini e di adolescenti è quotidianamente, sistematicamente bollata come fatta da somari emblematici. Non vengono più messi nell'angolo, non hanno più in testa il cappello da asino, la stessa parola "somaro" è diventata desueta, il razzismo è considerato una vergogna, eppure essi vengono continuamente filmati, vengono additati alla Francia intera, eppure si scrivono sui misfatti di alcuni di loro articoli che li presentano tutti come un cancro inguaribile nel fianco della scuola pubblica. Non contenti di far loro subire qualcosa di molto simile a un apartheid scolastico, dobbiamo anche considerarli una malattia nazionale: sono *tutti* i giovani di *tutte* le *banlieues*. Somari, tutti, nell'immaginario collettivo, somari e pericolosi: la scuola sono loro, poiché quando si parla della scuola si parla solo di loro.

Poiché si parla della scuola solo per parlare di loro.

12.

È vero che alcune violenze commesse (studenti taglieg-
giati, insegnanti aggrediti, licei incendiati, stupri) sono in-
commensurabilmente più gravi delle gazzarre scolastiche di
un tempo, che si limitavano a soprusi più o meno controllati
nel quadro definito degli istituti scolastici. Per quanto rari,
tali misfatti hanno una terribile portata simbolica e la loro dif-
fusione pressoché immediata attraverso le immagini della televisione, di internet, dei telefoni cellulari moltiplica il rischio
di emulazione.

Invitato, qualche tempo fa, da un liceo scientifico nella zona di Digne, Sud della Francia: devo incontrare alcune classi.

Notte in albergo.

Insonnia.

Televisione.

Reportage.

Si vedono gruppetti di ragazzi, sul Champ-de-Mars a Parigi, a margine di un corteo di studenti, aggredire vittime scel-
te a caso. Una delle vittime cade. È un ragazzo della stessa età
degli aggressori. Lo picchiano. Lui si rialza, lo inseguono, ri-
cade, lo picchiano di nuovo. Le scene si moltiplicano. Sempre lo stesso copione, la vittima è scelta a caso, su impulso di
uno qualsiasi dei componenti del gruppo trasformato in una
muta di belve che si accanisce sulla preda. La muta insegue
chiunque corra, ognuno è spinto dagli altri, di cui è lui stesso il motore. Corrono veloci come proiettili. Più avanti nello
stesso programma, un padre dirà del figlio che si è fatto tra-

scinare; è vero, in ogni caso nel senso fisico del termine. Maximilien (il mio) fa parte di uno di questi gruppi? Per un attimo l'idea mi sfiora. Ma qui la casualità delle aggressioni è tale che Maximilien può benissimo trovarsi fra le vittime: non c'è tempo di fare le presentazioni, violenza cieca, immediata, estrema. (Un annuncio sconsiglia il programma ai minori di dodici anni. Deve essere comparso una prima volta in un'ora di grande ascolto e immagino che frotte di ragazzini, allettati dal divieto, abbiano incollato subito il muso allo schermo.) Queste scene sono commentate da un poliziotto e da uno psicologo. Lo psicologo parla della perdita del senso di realtà in un mondo senza lavoro invaso da immagini di violenza, il poliziotto menziona il trauma delle vittime e la responsabilità dei colpevoli; entrambi hanno ragione, certo, ma danno l'impressione di arroccarsi su posizioni inconciliabili espresse dalla camicia aperta dello psicologo e dalla cravatta del poliziotto.

Ora seguiamo un gruppo di quattro giovani fermati per aver ucciso un barista. L'hanno percosso a morte, per gioco. Una ragazza filmava la scena con il suo cellulare. Lei stessa ha preso a calci la testa della vittima come se si fosse trattato di un semplice pallone. Il commissario che li ha arrestati conferma la perdita totale del senso di realtà e, quindi, di ogni senso morale. Quei quattro avevano passato la notte divertendosi così: a picchiare la gente e a farne dei video. Li si vede, grazie alle telecamere di videosorveglianza, andare da un'aggressione all'altra, con passo tranquillo, come gli amici bighelloni di *Arancia meccanica*. Filmare queste violenze con i telefoni cellulari è una nuova moda, precisa il conduttore. Una giovane donna, insegnante, ne è stata vittima, nella sua classe (immagini). Viene mostrata, spinta a terra da uno studente, percossa, filmata. Oggi chiunque può scaricare facilmente scene del genere. Si possono persino montare con la musica preferita. Commenti disincantati di alcuni adolescenti che guardano il video della professoressa picchiata.

Zapping.

Percentuale inaudita di filmati violenti sugli altri canali. È una notte tranquilla, il cittadino dorme beato, ma in fondo al suo letto, nel silenzio oscuro del suo televisore, le immagini vegliano. Ci si scanna in tutte le forme, a tutti i ritmi, in tutte le tonalità. L'umanità moderna mette in scena l'omicidio permanente dell'umanità moderna. Su un canale risparmiato, lontano dalla presenza degli uomini, nella pace fotogenica della natura, sono gli animali a divorarsi tra loro. Con sottofondo musicale, anche loro.

Torno al mio canale di partenza. Un bravo ragazzo il cui mestiere consiste nello scaricare tutte le scene di violenza estrema filmate nel mondo (linciaggi, suicidi, incidenti, agguati, bombe, omicidi ecc.) giustifica il suo sporco lavoro con la classica solfa del dovere di informazione. Se non lo fa lui, lo faranno altri, afferma; non incarna la violenza, ne è solo il messaggero... Uno stronzo qualunque, un semplice ingranaggio, al pari di Nonna Marketing, suo figlio forse, e buon padre di famiglia, chissà...

Spengo.

Impossibile prendere sonno. Sono tentato di optare anch'io per un pessimismo apocalittico. Pauperizzazione sistematica da un lato, terrore e barbarie generalizzata dall'altro. Su entrambi i fronti, perdita assoluta del senso di realtà: astrazioni borsistiche per gli straricchi, videomassacri per i reietti; il disoccupato trasformato in idea di disoccupato dai grandi azionisti, la vittima in immagine di vittima dai piccoli delinquenti. In entrambi i casi, scomparsa dell'uomo in carne, ossa e mente. E i media a orchestrare questa opera truculenta i cui commenti fanno pensare che, potenzialmente, *tutti* i ragazzi delle *banlieues* potrebbero andare in giro a scannare il prossimo ridotto a una immagine di prossimo. E che ruolo ha l'aspetto educativo in tutto questo? E la scuola? E la cultura, che ruolo ha? E il libro? E la ragione? E la lingua? Che senso ha che domani io vada in quel liceo scientifico se gli studenti che incontrerò sono ragazzi che hanno passato la notte nelle viscere di questa televisione?

Sonno.

Risveglio.

Doccia.

La testa sotto l'acqua fredda, una bella sensazione.

Dio mio, ce ne vuole di energia, per *tornare alla realtà* dopo aver visto tutto questo! Per la miseria, ma che immagine ci danno dei giovani, solo a partire da quei pochi mentecatti! La rifiuto. Sia chiaro, non nego la realtà di quel reportage, non sottovaluto i pericoli della delinquenza. Come tutti provo orrore per le forme contemporanee della violenza urbana, temo la ferocia del branco, e non ignoro la sofferenza di vivere in alcuni quartieri di periferia, in cui avverto tutto il pericolo rappresentato dal comunitarismo, conosco benissimo, tra le altre cose, la difficoltà di nascervi ragazza e di crescervi donna, misuro i rischi estremi cui sono esposti i ragazzini provenienti da una o due generazioni di disoccupati, quali prede rappresentano per i trafficanti di ogni risma! So tutto questo, non sottovaluto le difficoltà degli insegnanti impegnati con gli studenti più destrutturati di tutto questo disastro sociale, ma mi rifiuto di assimilare a queste immagini di violenza estrema *tutti* gli adolescenti di *tutti* i quartieri difficili, e soprattutto, soprattutto odio questa paura del povero che una simile propaganda alimenta a ogni nuova campagna elettorale! Vergogna a coloro che fanno dei giovani più abbandonati un oggetto fantasmatico di terrore nazionale! Costoro sono la feccia di una società senza onore che ha perduto finanche il sentimento della paternità.

13.

Si dà il caso che quella mattina il liceo scientifico sia in festa: la festa della scuola. Un intero liceo trasformato per due o tre giorni in luogo di esposizione di tutto ciò che gli studenti creano al di fuori delle materie ufficiali: pittura, musica, teatro, persino architettura (hanno costruito loro stessi gli stand della mostra), sotto la guida di un preside e di una équipe di professori che conoscono ogni ragazzo e ogni ragazza per nome. Nell'atrio, una piccola orchestra di studenti. Il violino mi accompagna lungo i corridoi. Tre o quattro classi mi aspettano in un salone. Giochiamo per due ore al libero gioco delle domande e delle risposte. La loro vivacità, le loro risate, la loro improvvisa serietà, le loro trovate, e soprattutto la loro energia vitale, la loro stupefacente energia mi salvano dal mio incubo televisivo.

Ritorno.

Binario della stazione.

Messaggio di Ali sul mio cellulare:

"Ciao! Ricordati il nostro appuntamento di domani: i miei studenti ti aspettano. Stanno finendo di montare il video. Devi vederlo, loro sono entusiasti!".

VI

COSA SIGNIFICA AMARE

In questo mondo bisogna essere
un po' troppo buoni per esserlo abbastanza.

MARIVAUX, *Il gioco dell'amore e del caso*

1.

Appena le madri disperate mettono giù il telefono, sollevo il mio per tentare di piazzare la loro prole. Faccio il giro dei colleghi: amici di vecchia data, esperti di casi ritenuti disperati, cui a mia volta recito la parte della mamma afflitta. All'altro capo del filo ormai se la ridono:

"Ah! Eccoti qua! Di solito è questa la stagione in cui ti palesi!".

"Sentiamo, quante assenze in un anno? Trentasette! Ha bigiato trentasette volte e vorresti che lo prendessimo? Ce lo consegni in manette?"

Didier, Philippe, Stella, Fanchon, Pierre, François, Isabelle, Ali e gli altri... Ne hanno salvati più di uno, tutti quanti loro! Nicole H., per citare solo lei, il suo liceo aperto a tutti i pelandroni di passaggio...

Mi è anche capitato di perorare qualche causa a metà anno.

"Dai, Philippe..."

"Espulso per quale motivo? Rissa! All'interno e all'esterno della scuola? Anche con le guardie giurate del centro commerciale! E non è la prima volta? Ah, proprio un bel regalo di Natale! Mandamelo comunque, vedo quello che si può fare."

O questo dialogo con la signorina G., preside di una scuola media superiore. La trovo intenta a fare assistenza a una verifica scritta. Due classi sgobbano sotto i suoi occhi. Silenzio. Concentrazione. Penne mangiucchiate o che ruotano a gran velocità tra il pollice e l'indice (ma come fanno? Io non ci sono mai riuscito), fogli di brutta verdi per gli uni, gialli per gli altri... La quiete dell'aula di studio. Non si sente volare un dubbio. Ho sempre amato il silenzio della siesta e la calma dell'aula di studio. Spesso nella mia infanzia li associavo. Adoravo il riposo immeritato. So tutto sull'arte di far finta di scrivere preparando un compito in bianco. Ma è difficile fare questo gioco sotto la sorveglianza della signorina G.

Mi ha visto entrare con la coda dell'occhio. Non batte ciglio. Sa che non la disturbo mai inutilmente e che quando mi permetto di farlo non è quasi mai per annunciarle una buona notizia. Cammino senza fare rumore verso la sua cattedra, mi chino verso il suo orecchio e bisbiglio i miei argomenti di vendita:

"Quindici anni e otto mesi, sta ripetendo la prima liceo, ha perso l'abitudine allo studio più o meno una decina di anni fa, espulso per svariati motivi, arrestato il mese scorso nella metropolitana per traffico di hashish, madre in fuga, padre irresponsabile, lo prende?".

"..."

La signorina G. continua a non guardarmi. Osserva le sue pecorelle, si limita a fare sì con la testa, ma:

"A una condizione" mormora senza muovere le labbra.

"Quale?"

"Che non mi chieda di ringraziarla."

O mia così britannica signorina G., quell'assenso silenzioso è uno dei miei più bei ricordi di professore! In Marivaux, in Marivaux, ha capito?, non in uno dei suoi libri devoti, in Marivaux!, ho trovato la frase che dovrebbe servirle segretamente da motto: "In questo mondo bisogna essere un po' troppo buoni per esserlo abbastanza".

Se aggiungo che lei ha portato quel ragazzo fino alla maturità, avrò detto qualcosa degli effetti di quella bontà.

2.

È sufficiente un professore – uno solo! – per salvarci da noi stessi e farci dimenticare tutti gli altri.

Perlomeno è questo il ricordo che serbo del professor Bal.

Era il nostro professore di matematica all'ultimo anno delle superiori. Dal punto di vista della mimica, il contrario di Keating; un professore che meno cinematografico non si può: ovale, direi, una voce acuta e nulla di speciale che attirasse lo sguardo. Ci aspettava seduto alla cattedra, ci salutava cordialmente e sin dalle prime parole noi entravamo nella matematica. Di che cosa era fatta quest'ora che ci catturava tanto? Essenzialmente della materia che il professor Bal insegnava e di cui sembrava pervaso, cosa che faceva di lui un individuo curiosamente acuto, calmo e buono. Strana bontà, nata dalla conoscenza stessa, desiderio naturale di condividere con noi la "materia" che lo mandava in visibilio e che non poteva concepire ci ispirasse repulsione o anche soltanto ci fosse indifferente. Bal era impastato della propria materia e dei propri allievi. Aveva qualcosa dell'animo candido della matematica, una sbalorditiva innocenza. L'idea di poter essere vittima della gazzarra degli studenti non doveva averlo mai sfiorato, e a noi non sarebbe mai venuto in mente di prenderlo in giro, tanto era convincente la sua felicità di insegnare.

E tuttavia non eravamo un uditorio docile. Più o meno tutti usciti dalla discarica di Gibuti, assai poco invitanti. Ho alcuni ricordi di risse notturne, in città, e di regolamenti di conti interni che avevano ben poco di tenero. Ma appena varcavamo la porta del professor Bal, eravamo come santificati dalla nostra immersione nella matematica e, passata l'ora, ognuno di noi usciva *mathematikos!*

Il giorno in cui ci conoscemmo, quando i più negati di noi si erano vantati della loro media dello zero, lui aveva risposto sorridendo che non credeva agli *insiemi vuoti.* Dopodiché aveva fatto alcune domande molto semplici e considerato le nostre risposte elementari come inestimabili pepite, cosa che ci aveva molto divertiti. Poi aveva scritto la cifra 6 alla lavagna chiedendoci che cosa fosse.

I più sfacciati avevano tentato una sortita:

"Le 6 dita della mano!".

"Le sei stagioni!"

Ma l'innocenza, nel suo sorriso, era davvero scoraggiante:

"È il voto minimo con cui sarete ammessi alla maturità".

Aggiunse:

"Se smetterete di avere paura".

E ancora:

"Comunque, non ne parlerò più. Qui non ci occuperemo della maturità, ma della matematica".

Infatti non ci parlò mai più della maturità. Metro dopo metro, impiegò quell'anno a tirarci fuori dall'abisso della nostra ignoranza, divertendosi a farlo passare per il pozzo stesso della scienza; si meravigliava sempre di ciò che nonostante tutto sapevamo.

"Credete di non sapere niente, ma vi sbagliate, vi sbagliate, sapete una grande quantità di cose! Guarda, Pennacchioni, lo sapevi di sapere questo?"

Certo, quella maieutica non bastò a fare di noi dei genii della matematica, ma per quanto profondo fosse il nostro pozzo, il professor Bal ci portò tutti al livello dell'orlo: ammessi con il sei alla maturità!

E senza la minima allusione, mai, all'avvenire catastrofico che secondo tanti altri professori da molto tempo ci aspettava.

3.

Era lui stesso un grande matematico? E l'anno seguente la professoressa Gi un'eccellente storica? E nell'ultimo anno che ripetei, il professor S. un filosofo senza pari? Presumo di sì, ma in verità lo ignoro; so solo che quei tre erano pervasi dalla passione comunicativa della loro materia. Armati di quella passione, sono venuti a prendermi in fondo al mio sconforto e mi hanno lasciato andare solo quando ho avuto i piedi saldamente posati nelle loro lezioni che si rivelarono essere l'anticamera della mia vita. Non che si occupassero di me più che degli altri, no, consideravano alla stessa stregua gli studenti che andavano bene e gli studenti che andavano male, e sapevano risvegliare in questi ultimi il desiderio di capire. Accompagnavano passo dopo passo i nostri sforzi, si rallegravano dei nostri progressi, non si spazientivano per la nostra lentezza, non consideravano mai i nostri insuccessi come un'offesa personale e si mostravano con noi tanto più esigenti in quanto tale rigore era fondato sulla qualità, la costanza e la generosità del loro stesso lavoro. Per il resto non è possibile immaginare insegnanti più diversi: il professor Bal, così calmo e sorridente, un buddha matematico, la professoressa Gi, invece, un'"uraganessa", come avrebbero detto nel mio villaggio, un tornado che ci strappava alla nostra pigrizia per trascinarci con lei nel torrente tumultuoso della Storia, mentre il professor S., filosofo scettico e puntuto (naso puntuto, cappello puntuto, addome puntuto), immobile e perspicace, mi lasciava la sera ronzante di domande cui non vedevo l'ora di rispondere. Gli consegnavo relazioni pletoriche che lui definiva esaustive, suggerendo in tal modo che al suo benessere di correttore avrebbero giovato lavori più concisi.

A ripensarci, quei tre professori avevano un solo punto in comune: non mollavano mai. Non si lasciavano ingannare dalle nostre ammissioni di ignoranza. (Quanti temi di storia mi fece rifare la professoressa Gi, causa ortografia incerta? Quante lezioni supplementari mi diede il professor Bal perché mi trovava a gironzolare per i corridoi o a fantasticare in un'aula vuota? "E se facessimo un quarto d'ora di matematica, Pennacchioni, già che ci siamo? Dai, su, solo un quarto d'ora...") L'immagine del gesto che ripesca l'affogato, la presa che ti tira verso l'alto nonostante il tuo annaspare suicida, questa cruda immagine di vita di una mano che afferra saldamente il colletto della giacca è la prima che mi viene in mente quando penso a loro. In presenza loro – nella loro materia – nascevo a me stesso: ma un io matematico, se posso dire, un io storico, un io filosofo, un io che, per un'ora *mi* dimenticava un po', *mi* metteva tra parentesi, *mi* sbarazzava dell'io che fino all'incontro con quei maestri mi aveva impedito di sentirmi davvero presente.

Altra cosa, mi sembra che avessero uno stile. Erano artisti nella trasmissione della loro materia. Le loro lezioni erano atti di comunicazione, certo, ma di un sapere talmente padroneggiato che passava quasi per creazione spontanea. La loro disinvoltura faceva di ogni ora un avvenimento che potevamo ricordare in quanto tale. Come se la professoressa Gi resuscitasse la storia, il professor Bal riscoprisse la matematica e Socrate si esprimesse per bocca del professor S.! Tenevano lezioni memorabili quanto il teorema, il trattato o l'idea fondamentale che quel giorno ne costituivano l'argomento. Insegnando, creavano l'avvenimento.

La loro influenza su di noi finiva qui. Almeno la loro influenza apparente. Al di fuori della materia che insegnavano, non cercavano di far colpo su di noi. Non erano di quei professori che si vantano del loro ascendente su un gruppo di ragazzini in cerca di un'immagine paterna. Non so neppure se si rendessero conto di essere dei maestri liberatori! Quanto a noi, eravamo i loro studenti di matematica, di storia o di filosofia e nient'altro. Certo, questo era per noi un motivo di orgoglio un po' snob, come fossimo membri di un club molto esclusivo, ma sarebbero stati i primi a stupirsi se avessero saputo che, quarantacinque anni dopo, uno dei loro studenti, grazie a loro diventato professore, avrebbe recitato la parte del discepolo fino al punto di erigere loro un monumento! Tanto più che, come la mia violoncellista di Le Blanc-Mesnil, una volta tornati a casa, a parte la correzione dei compiti o la preparazione delle lezioni, con ogni probabilità non pensavano più a noi. Avevano certamente altri interessi, una grande curiosità che doveva alimentare la loro forza, il che spiegava, tra le altre cose, la densità della loro presenza in classe. (La professoressa Gi, in particolare, mi sembrava avesse una fame di conoscenza da divorare il mondo e le sue biblioteche.) Non era soltanto il sapere che quei professori condividevano con noi, era il desiderio stesso del sapere! E ciò che mi comunicarono fu il piacere di trasmettere. Perciò andavamo alle loro lezioni affamati come lupi. Non direi che ci sentissimo amati da loro, ma di certo considerati ("massimo rispetto" è l'espressione che userebbero i ragazzi di oggi), considerazione che si manifestava fin nella correzione dei nostri compiti, dove i loro commenti erano sempre rivolti a ciascuno di noi individualmente. Il modello del genere erano le correzioni del professor Beaum, nostro insegnante di storia all'*hypokhâgne**. Pretendeva che lasciassimo in bianco l'ultima facciata delle nostre relazioni per potervi scrivere a macchina – in rosso, interlinea uno – la correzione dettagliata di ogni compito!

Questi insegnanti, incontrati gli ultimi anni di scuola, rappresentarono per me una novità rispetto a tutti coloro che riducevano i loro allievi a una massa indistinta e priva di consistenza, "quella classe" di cui parlavano solo al superlativo di inferiorità. Per costoro eravamo sempre la peggior prima, seconda, terza, quarta o quinta della loro carriera, non avevano mai avuto una classe meno... così... Sem-

* Primo anno del corso preparatorio alla Ecole Normale Supérieure. [N.d.T.]

brava che anno dopo anno si rivolgessero a un pubblico sempre meno degno del loro insegnamento. Se ne lamentavano con il preside, nei consigli di classe, nei colloqui con i genitori. Le loro lagne suscitavano in noi una speciale ferocia, qualcosa di simile alla rabbia con cui il naufrago trascinerebbe a picco con sé il capitano codardo che ha lasciato la nave incagliarsi sullo scoglio. (Sì, insomma, è per rendere l'idea. Diciamo che erano i nostri colpevoli ideali come noi eravamo i loro; la loro ostinata depressione suscitava in noi una cattiveria palliativa.)

Il più terribile di tutti fu il maestro Blamard (Blamard è un nome di fantasia), triste aguzzino dei miei nove anni, che fece piovere tanti di quei brutti voti sulla mia testa che ancora oggi, fermo in coda in un ufficio pubblico, mi capita di considerare il mio numerino di attesa come un verdetto di Blamard: "Centosettantacinquesimo, Pennacchioni, come sempre lontanissimo dalla lode".

O quel professore di scienze, all'ultimo anno delle superiori, cui devo la mia espulsione. Lamentandosi del fatto che la media generale di "quella classe" non andasse oltre il 2 aveva commesso l'imprudenza di domandarcene la ragione. Fronte alta, mento proteso, bocca piegata all'ingiù:

"Allora, qualcuno è in grado di spiegare questo... record?".

Ho alzato educatamente un indice e ho suggerito due possibili spiegazioni: o la nostra classe costituiva una mostruosità statistica (32 studenti che non riuscivano a superare una media del 2 in scienze), oppure quel risultato miserrimo sanciva la qualità dell'insegnamento dispensato.

Soddisfatto di me stesso, presumo.

E sbattuto fuori.

"Eroico ma inutile" osservò un compagno. "Sai qual è la differenza tra un prof e un utensile? No? Il prof non è riparabile."

Cacciato, quindi.

Furore di mio padre, ovviamente.

Bruttissimo ricordo, quegli anni di ordinario rancore!

4.

Invece di raccogliere e pubblicare le perle dei somari che suscitano l'ilarità in tante aule professori, bisognerebbe scrivere un'antologia dei bravi insegnanti. La letteratura non manca di simili testimonianze: Voltaire che rende omaggio ai gesuiti Tournemine e Porée, Rimbaud che sottopone le sue poesie al professor Izimbard, Camus che scrive lettere filiali al signor Martin, suo adorato maestro, Julien Green che ricorda con affetto l'immagine vivida del professor Lesellier, suo insegnante di storia, Simone Weil che fa le lodi del suo maestro Alain, il quale non dimenticherà mai Jules Lagneau che lo introdusse alla filosofia, J.-B. Pontalis che celebra Sartre, che "spiccava" così tanto fra gli altri professori...

Se, oltre a questi maestri celebri, l'antologia offrisse il ritratto dell'insegnante indimenticabile che quasi tutti abbiamo incontrato a un certo punto del nostro percorso scolastico, forse ne trarremmo qualche lume sulle doti necessarie alla pratica di questo strano mestiere.

5.

Da che mondo è mondo, ogni volta che gli insegnanti si sentono impotenti di fronte a una classe, eccoli lamentarsi di non essere stati formati per questo. Oggi "questo" copre ambiti diversissimi quali la cattiva educazione dei bambini da parte della famiglia in crisi, i danni culturali legati alla disoccupazione e all'emarginazione, la perdita del senso civico che ne consegue, la violenza in alcune scuole, le disparità linguistiche, il peso crescente della religione, ma anche la televisione, i videogame, insomma tutto ciò che più o meno alimenta il quadro sociale servitoci ogni mattina dal notiziario.

Dal "non siamo stati formati per questo" al "non siamo qui per" c'è solo un passo, che si può esprimere così: "Noi insegnanti non siamo nella scuola per risolvere problemi sociali che impediscono la trasmissione del sapere; non è il nostro mestiere. Che ci affianchino personale di sostegno, educatori, assistenti sociali, psicologi, insomma specialisti di ogni genere, e allora potremo insegnare seriamente le materie che abbiamo passato tanti anni a studiare". Rivendicazioni più che giustificate, cui i ministri che si susseguono oppongono i limiti delle risorse.

Eccoci dunque entrati in una nuova fase della formazione degli insegnanti, in cui sarà sempre più accentuata la capacità di comunicazione con gli studenti. Tale approccio è indispensabile, ma se i giovani professori si aspettano un discorso normativo che consenta loro di risolvere tutti i problemi che sorgono in una classe andranno incontro a nuove delusioni; il "questo" per il quale non sono stati formati resisterà comunque. Per dirla tutta, credo che "questo" rimanga sempre molto difficile da definire, che "questo" sia diverso dalla somma degli elementi che lo costituiscono oggettivamente.

6.

L'idea che si possa insegnare senza difficoltà deriva da una rappresentazione idealizzata dello studente. Il buon senso pedagogico dovrebbe rappresentarci il somaro come lo studente più normale che ci sia: quello che giustifica pienamente la funzione di insegnante poiché abbiamo *tutto* da insegnargli, a cominciare dalla necessità stessa di imparare! E invece no. Sin dalla notte dei tempi scolastici, lo studente ritenuto normale è quello che oppone meno resistenza all'insegnamento, quello che si presume non dubiti del nostro sapere e non metta alla prova la nostra competenza, uno studente che ci faciliti il compito, dotato di una capacità di comprensione immediata, che ci risparmi la ricerca delle vie d'accesso al suo intelletto, uno studente naturalmente fornito di capacità di apprendimento, che cessi di essere un ragazzino turbolento o un adolescente problematico durante la nostra ora di lezione, uno studente convinto sin dalla culla della necessità di tenere a freno i propri istinti e le proprie emozioni mediante l'esercizio della ragione se non si vuole vivere in una giungla di predatori, uno studente consapevole che la vita intellettuale è una fonte di piaceri che possiamo variare all'infinito, rendere sempre più raffinati, mentre la maggior parte degli altri piaceri è condannata alla monotonia della ripetizione o all'usura del corpo, insomma uno studente che abbia capito che il sapere è l'unica soluzione: soluzione allo stato di schiavitù in cui ci terrebbe l'ignoranza e consolazione unica alla nostra ontologica solitudine.

È l'immagine di questo studente ideale che si disegna nel-l'etere quando sento pronunciare la frase: "Devo tutto alla scuola!". Non metto in discussione la gratitudine di chi la pronuncia. "Mio padre era operaio e io devo tutto alla scuola!" Né sottovaluto i meriti della scuola: "Sono figlio di immigrati e devo tutto alla scuola!".

Ma è più forte di me, appena sento questa pubblica espressione di gratitudine, vedo svolgersi un film – un lungometraggio – a gloria della scuola, certo, ma soprattutto a gloria di quel bambino che avrebbe capito, sin dalla prima ora della materna, che la scuola era pronta ad assicurargli un futuro se solo fosse stato lo studente che essa si aspettava da lui. E guai a quelli che non corrispondono a questa aspettativa! Allora una vocina comincia a commentare il film nella mia testa:

"È vero, ragazzo mio, devi molto alla scuola, anzi moltissimo, ma non tutto, non tutto, su questo ti sbagli, dimentichi i capricci del caso. Forse eri un bambino più dotato della media, per esempio. O un giovane immigrato allevato da genitori affettuosi, caparbi e lungimiranti, come i genitori della mia amica Kahina, che vollero le tre figlie indipendenti e laureate affinché nessun uomo potesse mai trattarle come erano trattate le donne della loro generazione. Oppure, al contrario, potresti essere, come il mio caro Pierre, il prodotto di una tragedia famigliare, e aver trovato l'unica salvezza negli studi, ed essertici tuffato per dimenticare, il tempo di una lezione, ciò che ti aspettava al ritorno a casa. O ancora essere stato, come Minne, un bambino prigioniero della sua gabbia di asmatico che ebbe sete di imparare tutto subito per alzarsi dal proprio letto di malato: 'Imparare per respirare,' mi dice Minne, 'come si aprono le finestre, imparare per smettere di soffocare, imparare, leggere, scrivere, respirare, aprire sempre più finestre, aria, aria, ti assicuro, lo studio scolastico era l'unico modo per volare via dalla mia asma, e non me ne fregava niente della qualità dei miei insegnanti, alzarmi dal letto, andare a scuola, contare, moltiplicare, dividere, imparare la regola del tre semplice, maneggiare le leggi di Mendel, saperne ogni giorno un po' di più, era tutto quello che volevo, respirare, aria! Aria!'. A meno che tu non fossi dotato della megalomania buffonesca di Jérôme: 'Appena ho imparato a leggere e contare ho capito che il mondo era mio! A dieci anni passavo i fine settimana nell'albergo ristorante di mia nonna e con la scusa di dare una mano in sala rompevo le scatole ai clienti con un sacco di domande difficilissime: A quanti anni è morto Luigi XIV? Che cosa è un aggettivo con funzione di attributo? 123 moltiplicato 72? La risposta che preferivo era: Non lo so, ma tanto me lo dici tu. Era divertentissimo saperne di più, a dieci anni, del farmacista o del parroco! Mi davano dei buffetti sulla guancia con la voglia di staccarmi la testa, e io mi divertivo come un matto'.

Ottimi studenti. Kahina, Minne, Pierre, Jérôme e tu, e la mia amica Françoise che imparò tutto come un gioco, sin dalla primissima infanzia, senza la minima inibizione – ah! La sua incredibile capacità di divertirsi seriamente! –, fino a passare il dottorato di lettere classiche come se fosse stato un quiz radiofonico. Figli o figlie di immigrati, di operai, di impiegati, di tecnici, di maestri o di borghesi, molto diversi gli uni dagli altri, questi amici, ma tutti ottimi studenti. Era il minimo, che la scuola vi individuasse, loro e te! E che ti aiutasse a diventare ciò che sei! Ci mancava solo che gli sfuggissi! Non ti sembra che ne perda già abbastanza per strada, la scuola pubblica?

Rendendo eccessivamente onore alla scuola, in realtà sotto sotto gratifichi te stesso, ponendoti più o meno consapevolmente come studente ideale. Così facendo, occulti gli innumerevoli parametri che ci fanno tanto ìmpari nell'acquisizione del sapere: circostanze, ambiente, patologie, temperamento... Ah! L'enigma del temperamento!

'Devo tutto alla scuola!'

Non è che vuoi far passare le tue capacità per virtù? (Giacché le une e le altre non sono incompatibili...) Ridurre il tuo successo a una questione di volontà, di tenacia, di sacrificio, è questo che vuoi? È vero che sei stato un allievo studioso e perseverante, e che il merito è tutto tuo, ma hai anche goduto molto presto della capacità di capire, hai provato sin dalle tue prime esperienze di studio la gioia immensa di aver capito, e lo sforzo portava in sé la promessa di questa gioia!

Quando io mi sedevo al tavolo annichilito dalla certezza della mia idiozia, tu ti piazzavi al tuo fremente di impazienza, impazienza di passare ad altro, anche, poiché il problema di matematica su cui io mi addormentavo, tu lo liquidavi in un lampo. I nostri compiti, che erano il trampolino della tua mente, erano le sabbie mobili in cui si impantanava la mia. Ti lasciavano libero come l'aria, con la soddisfazione del dovere compiuto, mentre lasciavano me inebetito dall'ignoranza, a camuffare un'incerta brutta copia da versione definitiva, con gran profusione di segni che non la davano da bere a nessuno. Alla fine tu eri quello studioso, io il pigro. Era questa, allora, la pigrizia? Questo impantanarsi in se stessi? E lo studio cos'era, allora? Come facevano, quelli che studiavano bene? Dove attingevano quella forza? Fu l'enigma della mia infanzia. Lo sforzo, in cui io mi annientavo, per te fu subito una promessa di successo. Ignoravamo, tu e io, che 'bisogna riuscire per capire' secondo la formula così chiara di Piaget, e che noi due eravamo la prova vivente di questo assioma.

La passione di capire l'hai coltivata con tenacia per tutta la vita, e hai fatto un gran bel lavoro. Brilla ancora oggi nei tuoi occhi! Chi te la rinfacciasse sarebbe un invidioso imbecille... Ma ti prego, smettila di far passare le tue capacità per virtù, poiché così confondi le carte, complichi la questione già complicata dell'istruzione (ed è un difetto caratteriale molto diffuso).

Sai che cos'eri, in realtà?

Eri uno studente leccornia.

Così chiamavo (tra me e me), un volta diventato professore, i miei allievi eccezionali, le perle rare, quando ne trovavo uno nella mia classe. Li ho molto amati, i miei studenti leccornie! Mi riposavano dagli altri. E mi stimolavano. Quello che capisce al volo, che dà la risposta giusta, e spesso con senso dell'umorismo, l'occhio che si illumina, e quella disinvoltura discreta che è la grazia suprema dell'intelligenza... La piccola Noémie, per esempio (chiedo scusa, la grande Noémie, adesso è in quinta!), ringraziata, l'anno scorso, sulla pagella dal professore di francese: "Grazie", semplicemente. Era a corto di elogi: *Noémie P., francese, 10, Grazie*. Se l'è merita-

221

to: la scuola pubblica deve molto a Noémie. Come deve molto al mio giovane cugino Pierre, che ci ha annunciato il suo massimo dei voti alla maturità, prima di tornare ad affrontare su una barca a vela l'oceano particolarmente collerico di questi primi giorni di luglio del 2007: 'Sensazioni un po' più forti degli esami...' sembra dirci la sua bella risata.

Sì, ho sempre amato i bravi studenti.

E li ho anche compatiti. Perché hanno i loro tormenti: non deludere mai le aspettative degli adulti, irritarsi di essere soltanto secondi quando quel cretino di Tizio monopolizza il posto di primo della classe, intuire i limiti dell'insegnante dall'approssimazione delle sue lezioni, e quindi annoiarsi un po', subire le prese in giro o l'invidia degli incapaci, essere accusati di scendere a patti con l'autorità, a cui si aggiungono, come per gli altri, le magagne abituali della crescita.

Ritratto di uno studente leccornia: Philippe, in prima media, alla metà degli anni settanta, un filiforme Philippe di undici anni, con le orecchie perpendicolari, dotato di un enorme apparecchio per i denti che gli dava una ronzante pronuncia blesa. Gli domando se ha assimilato la nozione di linguaggio proprio e linguaggio figurato di cui abbiamo parlato il giorno prima.

'Linguazo proprio e linguazo figurato? Certo, profeffore! Ho molti evempi da proporle!'

'Prego, Philippe, ti ascoltiamo.'

'Ecco, allora, ieri a casa c'erano degli ofpiti a cena. La mamma mi ha presentato in linguazzo figurato. Ha detto: 'È Philippe, il mio piccolo, l'ultimo'. Sono l'ultimo, è vero, almeno per ora, ma per niente piccolo, aanzi, piuttofto alto per la mia età! 'Manza come un uzzellino.' È una ftupidazzine, gli uzzellini manzano una volta al zorno una quantità di cibo pari al loro peso, e io non manzo quavi niente. Ha detto anche che ero fempre con la tefta tra le nuvole, inveze ero lì a tavola con loro, tutti potevano teftimoniarlo! A me, inveze, ha parlato folo in linguazo proprio: 'Tazi, puliffiti la bocca, non mettere i gomiti ful tavolo, faluta e vai a dormire...'.

Philippe ne trasse la conclusione che il linguaggio figurato era quello delle padrone di casa e il linguaggio proprio quello delle madri.

'E quello dei profeffori,' precisò, 'dei profeffori con i loro ftudenti!'

Non so che fine abbia fatto il mio blesissimo Philippe, archetipo dello studente leccornia. Che cosa fa nella vita? L'insegnante? Mi piacerebbe. O meglio ancora incaricato, all'università o in una scuola di specializzazione, di formare i professori alla realtà degli studenti quali sono. Ma forse ha perso i suoi doni pedagogici. Forse l'hanno giudicato troppo inventivo per insegnare, forse si è addormentato, forse è volato via...".

7.

Dunque, lo studente così com'è.

"Stai attento," mi hanno messo in guardia i miei amici quando ho iniziato a scrivere questo libro, "che gli studenti sono cambiati moltissimo dall'epoca della tua infanzia, e anche da quando hai smesso di insegnare, una dozzina d'anni fa! Non sono più gli stessi, sai!"

Sì e no.

Sono bambini e adolescenti della stessa età che avevo io alla fine degli anni cinquanta, ecco almeno un punto fermo. Si alzano sempre presto, il loro orario scolastico e le loro cartelle sono sempre pesanti e i loro insegnanti, buoni o cattivi che siano, rimangono piatti prelibati nel menu delle loro conversazioni, altri tre punti in comune.

Ah! una differenza: sono più numerosi che nella mia infanzia, quando per molti ragazzi gli studi si concludevano con la licenza elementare. E sono di tutti i colori, perlomeno nel mio quartiere, dove vivono gli immigrati che hanno costruito la Parigi contemporanea. Il numero e il colore rappresentano differenze significative, è vero, ma che si attenuano appena si lascia il XX *arrondissement*, soprattutto le differenze di colore. Sempre meno numerosi, gli studenti di colore, scendendo dalle nostre colline verso il centro di Parigi. Quasi più nessuno nei licei intorno al Panthéon. Pochissimi studenti neri o di origine maghrebina nei licei del centro delle nostre città – la percentuale della carità, diciamo – ed eccoci ricondotti alla bianca scuola degli anni sessanta.

No, la differenza fondamentale tra gli studenti di oggi e quelli di ieri è un'altra: *non portano i maglioni smessi ereditati dai fratelli maggiori*. Eccola, la vera differenza! Mia madre sferruzzava un maglione a Bernard che, una volta cresciuto, lo passava a me. Stessa cosa per Doumé e Jean-Louis, i nostri fratelli maggiori. I "pullover" di nostra madre costituivano l'inevitabile sorpresa di Natale. Non c'era nessuna marca, nessuna etichetta *golf by mamma*; eppure la stragrande maggioranza dei ragazzini della mia generazione portavano dei golf by mamma.

Oggi no; è Nonnaccia Marketing a vestire grandi e piccoli. È lei che veste, nutre, disseta, calza, incappella, rifornisce tutti quanti, è lei che barda lo studente di elettronica, gli fa inforcare roller, bici, scooter, moto, monopattino, è lei che lo distrae, lo informa, lo connette, lo mette sotto flebo musicale costante e lo sguinzaglia ai quattro angoli dell'universo consumabile, è lei che lo addormenta, è lei che lo sveglia e quando lui si siede in classe è lei che vibra nella sua tasca per tranquillizzarlo: sono qui, non avere paura, sono qui, nel tuo telefonino, non sei ostaggio del ghetto scolastico!

8

Un bambino è morto, negli anni settanta. Chiamiamolo il bambino Jules, dal nome di Jules Ferry, ministro della Pubblica istruzione tra il 1878 e il 1883. Facciamo come se il bambino Jules fosse immortale ed esistesse da sempre, ma in realtà è stato concepito non molto più di un secolo fa e mi rendo conto con stupore che ha vissuto meno a lungo della mia vecchia mamma. Immaginato da Rousseau nel 1760 sotto forma di un prototipo mentale chiamato Emilio, fu messo al mondo un secolo dopo da Victor Hugo, che si sentiva in dovere di strappare i bambini al lavoro cui li incatenava la nascente civiltà industriale: "Il diritto del bambino è di essere un uomo" scriveva in *Cose viste.* "Ciò che fa l'uomo è la luce; ciò che fa la luce è l'istruzione. Quindi il diritto del bambino è l'istruzione gratuita, obbligatoria." Alla fine degli anni settanta dell'Ottocento, la Repubblica francese fece sedere quel bambino sui banchi della scuola laica, gratuita e obbligatoria affinché fossero soddisfatti i suoi bisogni fondamentali: leggere, scrivere, contare, ragionare, formarsi quale cittadino consapevole della propria identità individuale e nazionale. Il bambino Jules aveva due ruoli: era scolaro in classe, figlio o figlia in famiglia. La famiglia si faceva carico della sua educazione, la scuola della sua istruzione. Questi due mondi erano praticamente stagni e così era l'universo del bambino Jules: assisteva senza esserne minimamente informato ai terrificanti sommovimenti dell'adolescenza, si perdeva in congetture sulle particolarità dell'altro sesso, immaginava molto e correggeva come poteva; quanto ai suoi giochi, la maggior parte di essi discendeva dalla sua sola capacità di immaginarli. Tranne casi eccezionali, il bambino Jules non partecipava alle preoccupazioni affettive, economiche o professionali degli adulti. Non era né il dipendente della società, né il confidente della famiglia né l'interlocutore degli insegnanti. Ovviamente, come tutti gli universi, questa società così rigida era semplice solo in apparenza, il sentimento vi si infiltrava da una gran quantità di interstizi per conferirle la sua umana complessità. Rimane il fatto che i diritti del bambino Jules si limitavano al diritto all'istruzione, i suoi doveri a essere un buon figlio, un buon allievo e, all'occorrenza, un buon morto: su un esercito di sei milioni di bambini Jules, 1.350.000 furono massacrati fra il 1914 e il 1918 e la maggior parte degli altri non tornò intera.

Il bambino Jules visse cent'anni.

1875-1975.

Su per giù.

Strappato alla società industriale nell'ultimo quarto del XIX secolo, fu consegnato cento anni dopo alla società di mercato che ne fece un bambino cliente.

9.

Oggi esistono cinque specie di bambini sul nostro pianeta: il bambino cliente da noi, il bambino produttore sotto altri cieli, altrove il bambino soldato, il bambino prostituito, e sui cartelloni nella metropolitana il bambino morente la cui immagine, periodicamente, protende verso la nostra indifferenza lo sguardo della fame e dell'abbandono.

Sono bambini, tutti e cinque.

Strumentalizzati, tutti e cinque.

10.

Tra i bambini clienti vi sono quelli che dispongono dei mezzi dei loro genitori e quelli che non ne dispongono; quelli che comprano e quelli che si arrangiano. In entrambi i casi, poiché il denaro non è quasi mai frutto di lavoro personale, il giovane acquirente accede alla proprietà senza contropartita. È questo, il bambino cliente: un bambino che, in una grande quantità di ambiti di consumo *identici a quelli dei genitori o dei professori* (abbigliamento, alimentari, telefonia, musica, elettronica, locomozione, tempo libero...) accede senza colpo ferire alla proprietà privata. Così facendo svolge lo stesso ruolo economico degli adulti incaricati della sua educazione e della sua istruzione. Come loro, costituisce un'enorme fetta di mercato, muove denaro (il fatto che non sia suo non conta), ha, come i genitori, desideri che devono essere costantemente sollecitati e rinnovati affinché il meccanismo continui a funzionare. Da questo punto di vista è una figura importante: un cliente a pieno titolo.

Consumatore autonomo.

Sin dai suoi primi desideri di bambino.

La cui soddisfazione dovrebbe misurare l'amore che proviamo per lui.

Gli adulti, anche se lo negano, non possono farci molto; così va la società di mercato: amare il proprio figlio (questo figlio così *desiderato* che la sua nascita scava nei genitori un debito d'amore senza fine) significa amare i suoi desideri, che ben presto si esprimono come bisogni vitali: bisogno d'amore o desiderio di oggetti, uno vale l'altro, giacché la prova di questo amore passa attraverso l'acquisto di quegli oggetti.

Il desiderio di un figlio....

Già, ecco un'altra differenza tra il bambino di oggi e quello che ero io: sono stato un bambino desiderato?

Amato, sì, nella maniera della mia lontana epoca, ma desiderato?

Cha faccia farebbe la mia vecchia mamma, di cui abbiamo appena festeggiato centouno anni (ci metto davvero troppo tempo a scrivere questo libro) se le chiedessi a bruciapelo:

"A proposito, mammina, tu mi hai desiderato?".

"...?"

"Sì, mi hai sentito bene: sono stato un figlio espressamente voluto da te, da papà, da voi due?"

Vedo il suo sguardo posarsi su di me. Sento il lungo silenzio che seguirebbe. E, visto che siamo in vena di domande:

"Di un po', come te la cavi, tu, nella vita?".

Se tentassi di approfondire, otterrei al massimo qualche precisazione sulle circostanze:

"C'era la guerra, tuo padre era in licenza, poi ci ha lasciati a Casablanca, me e i tuoi fratelli, per partecipare allo sbarco in Provenza con la settima armata americana. E a Casablanca sei nato tu".

O ancora, da brava madre del Sud:

"Avevo un po' paura che fossi una femmina, ho sempre preferito i maschietti".

Ma sapere se fui desiderato, no. A quell'epoca e nella mia famiglia c'era un aggettivo per definire simili domande: *strambe*.

Bene, torniamo al bambino cliente.

E chiariamo bene le cose: descrivendolo, non tento di presentarlo come un sibarita spregevole e superficiale, né tantomeno predico il ritorno al maglione sferruzzato dalla mamma, ai giocattoli di latta, ai calzini rammendati, ai silenzi famigliari, al metodo Ogino-Knaus e a tutto ciò che fa sì che la gioventù di oggi immagini la nostra come un film in bianco e nero. No, mi domando soltanto che razza di somaro sarei stato, se il caso mi avesse fatto nascere, poniamo, una quindicina di anni fa. Non c'è alcun dubbio: sarei stato un somaro consumatore. In mancanza di precocità intellettuale, avrei ripiegato su quella maturità commerciale che conferisce ai desideri degli adolescenti la stessa legittimità di quelli dei genitori. Ne avrei fatto una questione di principio. Già mi sento: Avete il vostro computer, anch'io *ho diritto* di avere il mio! Soprattutto se non volete che tocchi il vostro! E loro avrebbero ceduto. Per amore. Amore traviato? Facile a dirsi. Ogni epoca impone il proprio linguaggio all'amore famigliare. La nostra prescrive la lingua degli oggetti. Non dimenticate la diagnosi di Nonna Marketing: "È in gioco la sua identità". Come molti bambini o adolescenti che sento un po' dovunque, avrei saputo convincere mia madre che la mia conformità al gruppo, quindi il mio equilibrio personale, dipendevano da questo o quell'acquisto:

"Mamma, devo assolutamente avere le ultime NNN!".

Mia madre avrebbe forse voluto fare di me un escluso? Non bastavano già i miei pessimi risultati scolastici? Era il caso di rincarare la dose?

"Ti giuro, mamma, altrimenti faccio la figura del babbeo!" (Correzione: "babbeo" è un po' datato, faccio la figura dello *sfigato*, e *non ci sto dentro*! Ai suoi tempi Michel Audiard avrebbe parlato di *minchione* o di *bamba*. "Ma', se non mi acchiappi 'ste fanghe quelli mi pigliano per un minchione!)

E mia madre, amorevole, avrebbe ceduto.

Ma chissà se una quindicina di anni fa sarei stato l'ultimo nato di quattro fratelli? Mi avrebbero *desiderato*? Mi avrebbero concesso il visto di uscita?

Questione di budget, come tutto il resto.

Uno degli elementi del "questo" cui il giovane professore di oggi non è preparato è il confronto con una classe di bambini clienti. Certo, anche lui lo è stato, e i suoi figli lo sono, ma in questa classe lui è l'insegnante. In quanto insegnante non prova il debito di amore che intenerisce il suo cuore di padre. Lo studente non è un bambino desiderato al punto da far sciogliere di gratitudine i membri del corpo docente. Qui siamo alla scuola elementare, alla scuola media, alle superiori, non in un centro commerciale: non si esaudiscono desideri superficiali tramite regali, si soddisfano necessità fondamentali tramite obblighi. Necessità di istruirsi tanto più difficili da appagare in quanto occorre in primo luogo sollecitarle! Duro compito, per l'insegnante, questo conflitto tra i desideri e i bisogni! E dolorosa prospettiva per il giovane cliente, doversi preoccupare delle proprie necessità a scapito dei propri desideri: vuotarsi la testa per formarsi la mente, staccare la spina per connettersi al sapere, scambiare la pseudo-ubiquità delle macchine con l'universalità delle conoscenze, dimenticare rutilanti carabattole per assimilare invisibili astrazioni. E doverle pagare, queste conoscenze scolastiche, mentre la soddisfazione dei desideri non impegna minimamente! Poiché, paradosso dell'insegnamento gratuito ereditato da Jules Ferry, la scuola pubblica rimane oggi l'ultimo luogo della società di mercato in cui il bambino cliente debba *pagare di persona*, piegarsi al *do ut des*: sapere in cambio di studio, conoscenze in cambio di sforzi, accesso all'universalità in cambio dell'esercizio solitario della riflessione, una vaga promessa di futuro in cambio di una piena presenza in classe, ecco ciò che la scuola esige da lui.

Se il bravo studente, forte della sua capacità di valutare concretamente i fatti, è soddisfatto di tale situazione, perché mai il somaro dovrebbe accettarla? Perché dovrebbe abbandonare la propria condizione di maturità commerciale per la posizione dell'allievo obbediente, che lui reputa infantilizzante? Perché dovrebbe pagare, a scuola, in una società dove surrogati di conoscenza gli sono proposti gratuitamente dal mattino alla sera sotto forma di sensazioni e di scambi? Per quanto somaro sia in classe, non si sente forse padrone dell'universo quando, chiuso in camera sua, è seduto davanti alla sua consolle? Chattando fino all'alba, non prova forse la sensazione di comunicare con la terra intera? La sua tastiera non gli promette forse l'accesso a tutte le conoscenze sollecitate dai suoi desideri? Le sue sfide contro gli eserciti virtuali non gli offrono forse una vita piena di emozioni? Perché dovrebbe cedere questa posizione privilegiata per avere in cambio un banco in una classe? Perché dovrebbe sopportare i giudizi pieni di rimprovero degli adulti chini sulla sua pagella quando, chiuso a chiave in camera sua, separato dai suoi e dalla classe, lui è re?

È fuori di dubbio, se fosse nato una quindicina di anni fa e sua madre non avesse ceduto a ogni suo minimo desiderio, il somaro che fui avrebbe scassinato la cassaforte di famiglia, ma questa volta per fare regali a se stesso! Si sarebbe comprato un'apparecchiatura d'evasione ultimo grido, si sarebbe lasciato aspirare dal suo schermo, vi sarebbe svanito per navigare nello spazio-tempo, senza vincoli né limiti, senza orari e senza un orizzonte, avrebbe chattato senza fine e senza motivo con altri come lui. L'avrebbe adorata, questa epoca che, se non garantisce alcun avvenire ai suoi cattivi studenti, è prodiga di macchine che permettono loro di abolire il presente! Sarebbe stato la preda ideale per una società che riesce in questa prodezza: creare giovani obesi disincarnandoli.

12

"Io, un giovane obeso disincarnato?"

(Oh santo dio! Rieccolo...)

"Come ti permetti di parlare al posto mio?"

Porco cane, perché mai l'ho menzionato, il somaro che fui, questo incorreggibile ricordo di me stesso? Finalmente arrivo alle ultime pagine, mi aveva lasciato in pace dopo la conversazione su Maximilien, e adesso sono io stesso a richiamarlo!

"Rispondi! Che cosa ti autorizza a pensare che se fossi nato una quindicina di anni fa sarei stato il somaro iperconsumatore che dici tu?"

Non c'è dubbio, è proprio lui. Sempre a esigere spiegazioni anziché fornire risultati. Dai, forza:

"E da quando in qua ho bisogno del tuo permesso per scrivere quello che mi pare?".

"Da quando ti sei messo a blaterare sui somari! In fatto di somaraggine, l'esperto sono io, se non sbaglio!"

Si può essere esperti di ciò che si subisce? I malati devono necessariamente prendere il posto dei medici e i cattivi studenti sostituirsi ai professori? Inutile spingerlo su questo terreno, sarebbe capace di farmi versare fiumi di inchiostro. Tagliamo corto:

"Va bene. Che genere di somaro saresti, oggi, secondo te?".

"Capacissimo che oggi me la caverei alla grande! Mica c'è solo la scuola nella vita, sai! È dall'inizio che ci fai due palle così con la scuola, ma ci sono altre soluzioni! Hai un sacco di amici che se l'è cavata benissimo indipendentemente dalla scuola. Anche questo, bisogna dirlo! Guarda Bertrand, Robert, Mike e Françoise: hanno mollato la scuola prestissimo e se la sono cavata alla grande. Si sono fatti una bella vita, no? Allora perché non io? Magari oggi sarei un drago dell'elettronica, chi lo sa!"

" ... "

"No? Ti demoralizza, eh, questa prospettiva, a te che non sei manco buono ad avviare un computer! Mi vuoi somaro, eh, assolutamente. E scassinatore! Per le esigenze della dimostrazione? Va bene, okay, se fossi nato quindici anni fa sarei stato un somaro, il peggiore della tua classe e tu avresti continuato a ripetere: 'Non sono stato formato per questo, non sono stato formato per questo', ti va bene così?"

" ... "

"Comunque sia, la questione non è quello che sarei stato o non sarei stato."

"E qual è, la questione?"

"La vera natura del 'questo' per il quale i giovani insegnanti dichiarano di non essere stati formati, ecco l'unica questione, che tu stesso hai sollevato."

"Risposta?"

"Vecchia come il mondo: i prof non sono preparati alla collisione tra il sapere e l'ignoranza, tutto qua!"

"Ah, capisco."

"Certo, queste storie di perdita di punti di riferimento, di violenza, di consumismo, tutta 'sta musica è la spiegazione di oggi; domani sarà qualcos'altro. Del resto l'hai detto anche tu: La vera natura del 'questo' non è riducibile alla somma degli elementi che lo costituiscono oggettivamente."

"Ma questo non ci chiarisce ciò che è."

"Te l'ho appena detto: l'urto del sapere contro l'ignoranza! È troppo violento. Eccola, la vera natura del 'questo'. Mi ascolti?"

"Ti ascolto, ti ascolto."

Lo ascolto e lui sale in cattedra, più che mai sicuro di sé, per lanciarsi in una lezione magistrale da cui emerge, se capisco bene, che la vera natura del "questo" risiederebbe nell'eterno conflitto tra la conoscenza quale è concepita e l'ignoranza quale è vissuta: l'assoluta incapacità dei professori di capire la condizione di ignoranza in cui si trovano i loro somari, dal momento che loro stessi erano buoni studenti, almeno nella materia che insegnano! Il grande handicap degli insegnanti starebbe nella loro incapacità di immaginarsi *non sapere ciò che sanno.* Quali che siano state le difficoltà che hanno sperimentato nell'assimilare le conoscenze, appena queste sono acquisite diventano consustanziali a loro, tanto che ormai le percepiscono come ovvietà ("Ma è *ovvio,* dai!") e non possono immaginare la loro assoluta stranezza per chi, in quel preciso campo, vive in una condizione di ignoranza.

"Tu, per esempio, che ci hai messo un anno a imparare la lettera *a,* riesci oggi a immaginare di non sapere né leggere né scrivere? No! Allo stesso modo un prof di matematica non riesce a immaginare di non sapere che 2 più 2 fa quattro! Be', ci fu un'epoca in cui non sapevi leggere! Annaspavi nell'alfabeto. Eri un disastro! Gibuti, ti ricordi? Adesso posso ricordarti il periodo neanche tanto lontano in cui trovavi che tua figlia Alice – oggi lettrice più forte di te – non si impegnasse abbastanza a leggere i primi testi che la scuola le piazzava sotto gli occhi di bambina? Idiota! Padre indegno! Avevi dimenticato che quella difficoltà era stata anche tua! E che in questo campo tu eri infinitamente più lento di tua figlia! Ma, diventato un adulto che *sa,* il signore si mostrava impaziente con una ragazzina ai primi passi! Il tuo sapere di prof e la tua inquietudine di padre ti avevano semplicemente fatto perdere il senso dell'ignoranza."

Io ascolto, ascolto. Lanciato a una tale velocità, so che nulla potrebbe fermarlo.

"Siete tutti uguali, voi prof! Quello che vi manca sono dei corsi di ignoranza! Vi fanno dare esami e concorsi di ogni genere sulle vostre conoscenze acquisite, quando la vostra prima qualità dovrebbe essere la capacità di immaginare *la condizione di colui che ignora tutto ciò che voi sapete!* Sogno un esame di abilitazione in cui si chieda al candidato di ricordarsi di un insuccesso scolastico – un brusco calo, per esempio in matematica, in prima o in seconda liceo – e di cercare di capire che cosa gli sia successo quell'anno!"

"Accuserebbe il professore di allora."

"Insufficiente! La colpa del prof è un trucco che conosco, l'ho praticato anch'io. Si dovrebbe chiedere al candidato di scavare più in profondità, di cercare davvero di capire perché quell'anno si è arenato. Di cercare dentro di sé, intorno a sé, nella sua testa, nel suo cuore, nel suo corpo, nei suoi neuroni, nei suoi ormoni, di cercare ovunque. E di ricordarsi anche come se l'è cavata! I mezzi che ha usato! Le famose risorse! Dove si erano cacciate, le sue risorse? In cosa consistevano? Dirò di più, bisognerebbe chiedere agli aspiranti professori i motivi per i quali si sono dedicati a questa materia piuttosto che a un'altra. Perché insegnare inglese e non matematica o storia? Per una preferenza? Be', che vadano a rivangare tra le materie che non amavano! Che si ricordino delle loro lacune in fisica, della loro incapacità in filosofia, delle loro scuse patetiche in ginnastica! Insomma, è necessario che coloro che pretendono di insegnare abbiano una visione chiara del loro percorso scolastico. Che *riprovino* un poco la loro condizione di ignoranza se vogliono avere una minima possibilità di tirarcene fuori!"

"Se ho ben capito, suggerisci di reclutare i professori tra quelli che andavano male a scuola anziché tra i più bravi?"

"Perché no? Se poi se la sono cavata e si ricordano dello studente che erano, perché no? In fondo, tu mi devi molto!"

"..."

"No?"

"..."

"No? Io trovo che in fatto di insegnamento mi devi moltissimo. Hai dovuto essere un ex somaro per diventare prof, no? Sii sincero. Se fossi stato brillante a scuola, avresti fatto altro. In realtà sei tornato nella discarica di Gibuti, travestito da prof, per tirare fuori altri somari! Ed è grazie a me che ci sei riuscito! Perché sapevi che cosa provavo. Anche questo era *sapere*, non credi?"

(Se si illude che gli dia questa soddisfazione...)

"Credo soprattutto che ci hai rotto con questo dogma

dell'empatia, e che darebbe sui nervi a non pochi insegnanti! Se ti fossi impegnato una buona volta, te la saresti cavata da solo!"

A questo punto va fuori dai gangheri. Prima di tutto perché non capisce la parola "empatia", poi perché una volta spiegata la capisce fin troppo bene.

"L'empatia no! Non ce ne importa un fico secco della vostra empatia! Non c'è niente che ci faccia colare a picco come la vostra empatia! Nessuno vi chiede di mettervi nei nostri panni, vi chiediamo di salvare i ragazzini che non sono in grado di chiedervelo, ce la fai a capirlo questo? Vi chiediamo di aggiungere a tutte le vostre conoscenze l'intuizione dell'ignoranza, e di andare a ripescare i somari, è questo il vostro lavoro! Il ragazzo che va male a scuola riuscirà a impegnarsi quando gli avrete insegnato a impegnarsi! È tutto quello che vi si chiede!"

"Chi è questo *si*?"

"Io!"

"Ah, tu... E che ne dici, tu, lo specialista, di questa condizione di ignoranza?"

"Dico che non è il grande buco nero che voi immaginate. È esattamente il contrario. Un mercato delle pulci nel quale trovi tutto e il contrario di tutto, *tranne* il desiderio di imparare quello che ti insegnano i professori. Lo studente che va male non ha mai la sensazione di essere ignorante. Io non mi trovavo ignorante, mi trovavo coglione, è ben diverso. Il somaro si ritiene indegno, o anormale o ribelle, oppure se ne frega, ritiene di essere uno che sa un sacco di altre cose rispetto a quello che pretendete di insegnargli, ma non si ritiene ignorante di quello che voi sapete. Ben presto il vostro sapere non lo vuole più. Ha elaborato il lutto. Un lutto doloroso, a volte, ma, come dire? Coltivare questo dolore lo impegna più del desiderio di guarirlo, è difficile da capire ma è così! La sua ignoranza la scambia per la sua natura più profonda. Non è uno *studente di matematica* è un *negato in matematica*, è così! Poiché ha bisogno di compensazioni, brillerà in altri campi. Scassinatore di casseforti, nel mio caso. E scazzottatore, un po'. E quando si fa beccare dalla polizia, e l'assistente sociale gli chiede perché non studia, sai che cosa risponde?

"…"

"Esattamente *la stessa cosa del professore*: il 'questo', il 'questo'! La scuola non fa per me, non sono fatto per 'questo', ecco cosa risponde. E anche lui, senza saperlo, parla del terribile scontro tra l'ignoranza e il sapere. È lo stesso 'questo' dei professori. I professori ritengono di non essere stati preparati a trovare nelle loro classi studenti che ritengono di non essere fatti per stare lì. Da entrambe le parti, lo stesso 'questo'!"

"E come rimediare al 'questo' se l'empatia è sconsigliata?"

Qui rimane a lungo titubante.

Devo insistere:

"Dai, tu che sai tutto senza aver imparato niente, il *modo* per insegnare senza essere preparato a 'questo'? C'è un metodo?".

"Non mancano, certo, i metodi, anzi, ce ne sono fin troppi! Passate il tempo a rifugiarvi nei metodi, mentre dentro di voi sapete che il metodo non basta. Gli manca qualcosa."

"Che cosa gli manca?"

"Non posso dirlo."

"Perché?"

"È una parolaccia."

"Peggio di 'empatia'?"

"Neanche da paragonare. Una parola che non puoi assolutamente pronunciare in una scuola, in un liceo, in una università, o in tutto ciò che le assomiglia."

"E cioè?"

"No, davvero non posso…"

"Su, dai!"

"Non posso, ti dico! Se tiri fuori questa parola parlando di istruzione, ti linciano."

"…"

"…"

"…"

"L'amore."

È vero, da noi è sconveniente parlare d'amore nell'ambito dell'insegnamento. Provateci un po'. È come parlare di corda in casa dell'impiccato.

Meglio ricorrere alla metafora per descrivere il tipo di amore che anima la professoressa G., Nicole H., gli insegnanti di cui ho parlato in tutte queste pagine, la maggior parte di quelli che mi invitano nelle loro classi e tutti gli infaticabili che non conosco.

Metafora, quindi.

Una metafora alata, per l'occasione.

Vercors, una volta di più.

Una mattina dello scorso settembre.

Primissimi giorni di settembre.

Mi sono addormentato tardi su una qualche pagina di questo libro. Mi sveglio ansioso di proseguire. Sto per saltar giù dal letto ma un sottile chiasso mi ferma. È tutto un garrire intorno alla casa. Garriti diffusi, intensi e tenui insieme. Ah! sì, la partenza delle rondini! Ogni anno, intorno alla stessa data, si danno appuntamento sui fili della luce. Campi e bordi delle strade si coprono di spartiti come in un'immagine da quattro soldi. Si apprestano a migrare. È lo schiamazzo del ricongiungimento. Quelle che ancora volteggiano nel cielo chiedono l'autorizzazione per l'allineamento a quelle che sono già posate sul filo, tutte frementi del desiderio di orizzonte. Spicciatevi che si va! Arriviamo, arriviamo! Volano velocissime. Vengono da nord, in schiere hitchcockiane, dirette a sud. Ed è esattamente l'orientazione della nostra camera da letto: nord, sud. Un abbaino a nord, una doppia finestra a sud. E ogni anno lo stesso dramma: ingannate dalla trasparenza di quelle finestre allineate, un bel po' di rondini vanno a schiantarsi contro l'abbaino. Niente scrittura, quindi, stamattina. Apro l'abbaino a nord e la doppia finestra a sud, mi rituffo nel letto, ed eccoci occupati per la mattina a guardare squadriglie di rondini attraversare la nostra stanza, improvvisamente silenziose, forse intimidite dalle due figure coricate che le passano in rassegna. Il fatto è che, ai due lati della doppia finestra, due sottili vetri fissi rimangono chiusi. Lo spazio tra i due vetri laterali è ampio, di che lasciare passare tutti gli uccelli del cielo. Eppure, immancabilmente, tre o quattro di quelle scemotte vanno a sbattere contro i vetri fissi! È la nostra percentuale di somari. Le nostre devianti. Quelle che non stanno in riga. Che non seguono la retta via. E gozzovigliano ai margini. Risultato: vetro fisso. Toc! Tramortita sul tappeto. Allora uno di noi due si alza, prende la rondine stordita nel palmo della mano – non pesa quasi niente, ossa piene di vento –, aspetta che si risvegli, e la manda a raggiungere le sue amiche. La resuscitata vola via, ancora un po' intontita, zigzagando nello spazio ritrovato, dopodiché punta dritto a sud e sparisce nel suo avvenire.

Ecco, la mia metafora vale quel che vale, ma è questo l'amore in materia di insegnamento, quando gli studenti volano come uccelli impazziti. A questo la professoressa G. o Nicole H. hanno dedicato tutta la loro esistenza: salvare dal coma scolastico una sfilza di rondini sfracellate. Non sempre si riesce, a volte non si trova una strada, alcune non si ridestano, rimangono al tappeto oppure si rompono il collo contro il vetro successivo; costoro rimangono nella nostra coscienza come le voragini di rimorso in cui riposano le rondini morte in fondo al nostro giardino, ma ogni volta ci proviamo, ci abbiamo provato. Sono i *nostri* studenti. Le questioni di simpatia o di antipatia per l'uno o per l'altro (questioni quanto mai reali, ci mancherebbe!) non c'entrano. Nessuno di noi saprebbe dire il grado dei nostri sentimenti verso di loro. Non di questo amore si tratta. Una rondine tramortita è una rondine da rianimare, punto e basta.

Vanno, come spesso accade, a J.-B. Pontalis, Jean-Philippe Postel, Jacques Baynac, Jean Guerrin, Jean-Marie Laclavetine, Hugues Leclercq, Pierre Gestède, e anche a Philippe Ben Lahcen, a Jean-Luc Géniteau, a Véronique Rischard, a Christine e François Morel, a Charlotte e Vincent Schneegans, a Jean-Michel Mariou, insomma a tutti quelli che ci hanno sopportati, il mio somaro e me, mentre scrivevo queste pagine.

INDICE

TUTTO PENNAC

La famiglia Malaussène

Il paradiso degli orchi
La tribù di Malaussène, una famiglia disneyana. Una Parigi di piccoli e grandi orchi. Bombe tra i giocattoli in un grande magazzino e un Babbo Natale assassino.

La fata carabina
Cosa succede ai vecchietti di Belleville? Assassini pericolosi. Consumatori di stupefacenti. Uccisi a rasoiate. Malaussène principale indiziato.

La prosivendola
La regina Zabo, tirannica manager di casa editrice. Il capro espiatorio sotto le spoglie di scrittore. L'attentato, il coma irreversibile. Ma la sorellina astrologa è ottimista.

Signor Malaussène
Una folta squadra di personaggi, buoni e cattivi. Il cinema Zèbre e il Film Unico. Un complicato intreccio poliziesco. Il mondo salvato dagli innocenti.

La passione secondo Thérèse
Thérèse è innamorata. Il matrimonio, con quel che lo precede e ciò che ne consegue. Malaussène è contrario.

Ultime notizie dalla famiglia
Due testi. Un monologo sulla paternità. Un breve racconto sul Piccolo e la sua caparbia volontà di conoscere il padre naturale. La famiglia fa ancora rumore.

Romanzi e saggi

Come un romanzo
Il piacere dei libri. I diritti imprescrittibili del lettore. Un saggio che si legge come un romanzo.

Ecco la storia
Romanzo e metaromanzo. Un Brasile latifondista, un dittatore agorafobico, il suo sosia, il sosia del sosia, il sosia del sosia del sosia... Ogni storia va per la sua strada, mentre uno scrittore spiega come.

Signori bambini
Uno scambio di ruoli. Genitori tornati bambini e bambini diventati genitori. Un padre morto racconta dalla tomba del Père Lachaise.

Racconti e teatro

La lunga notte del dottor Galvan
"Non mi sento tanto bene"… Di sintomo in sintomo, di diagnosi in diagnosi, la notte del dottor Galvan si fa sempre più lunga. Un racconto grottesco dal sapore gustosamente malaussèniano.

Grazie
Ringraziare è difficile. Mette in discussione certezze. Muove gli affetti. Apre la memoria. Soprattutto se si è uno scrittore che una giuria ha premiato per la sua opera. Un vibrante omaggio di Pennac ai suoi lettori.

L'avventura teatrale. Le mie italiane
Pennac e la scoperta del teatro. Attraverso la messinscena di *Grazie* lo scrittore ha scoperto il mestiere dell'attore, la particolarità, la serietà e l'effetto di straniamento del lavoro sul palcoscenico. Ce lo racconta come un nuovo modo di stare al mondo: con garbo, humour e un simpatico stupore.

Stampa Grafica Sipiel
Milano, marzo 2008